Cariad Creulon

Cariad Creulon

Bryn Williams

Christopher Davies

Argraffiad Cyntaf 1970
Ail Argraffiad 1973
Trydydd Argraffiad 1977
Pedwerydd Argraffiad 1986

Cyhoeddwyd gan
Christopher Davies (Cyhoeddwyr) Cyf.,
Blwch Post 403, Sgeti,
Abertawe, SA2 9BE.

SBN 7154 0070 3

*Argraffwyd gan
Wasg Dinefwr,
Heol Rawlings,
Llandybïe, Dyfed.*

Fy mraint yw cael cyflwyno'r ddrama i'r Cwmni, ac i gofio WYN a gyflwynodd gymeriad Dafydd mor effeithiol, ond a laddwyd yn fuan wedyn drwy ddamwain mewn chwarel yn Arfon. Bu'n darlledu a theledu gyda'r B.B.C. cyn ymuno â'r Royal Shakespeare Company; a bu'n actio yn Theatr yr Aldwych, Llundain, cyn mynd ar daith dros y byd gyda 'King Lear' a 'Comedy of Errors'. Bu iddo ran hefyd mewn ffilmiau. Bwriadai roi ei dalent i'r Theatr Gymraeg, yr oedd yn prysur feistroli ein hiaith, a bu ei farw cynnar yn golled fawr inni fel lleiafrif Cymraeg yng Nghymru.

Tydi,
a roddaist fywyd i'm geiriau,
cnawd i'm Dafydd,
enaid i'm Cariad Creulon,—
creulon na allaf a fynnwn :
rhoi bywyd yn ôl i ti.

Cerddaist gyfandiroedd
i hau anfarwoldeb y Bardd,
a'r byd wrth dy draed :
gwae ni,
ni cherddi mwy.
Cans un nos o Hydref
gwywodd dy Wanwyn :
chwerw'r trasiedi
yng Ngholisewm y chwarel wag
dan orielau'r sêr,
nes dyfod gwawr ddu i'w diffodd
pan drengaist yn ymyl ymwared.

Trist nad erys ond cof
am dy ddawn a'i haddewid i fory,
dy gariad addfwyn,
a'r dewrder a welodd y drindod
dan orielau'r sêr
ar dy lwyfan olaf.

Cyfieithwyd y ddrama i'r Sbaeneg i'w darlledu drwy Ariannin, a diolchaf am awgrymiadau gwerthfawr i'w gwella i Augustin Perez Pardella, un o ddramawyr cyfoes enwocaf Ariannin a Sbaen.

Hon oedd y ddrama gyntaf i'w pherfformio yn Gymraeg gar Gwmni Theatr Cymru dan nawdd Cyngor Celfyddydau Cymru Digwyddodd hynny yn Hydref 1965 pan fu'r Cwmni ar daith drwy Gymru, a darlledwyd hi drachefn ddwywaith ar y teledydd gan y Gorfforaeth Ddarlledu Brydeinig.

Y cynhyrchydd oedd Wilbert Lloyd Roberts.

Cynllunydd : Donald Homfray.

Cymeriadau :

Mair	—	Gaynor Morgan Rees
Pepita	—	Lisabeth Miles
Alonso	—	Conrad Evans
Dafydd	—	Wyn Jones
Meri Ifans	—	Rachel Thomas
Manolo	—	Huw Carrod
Idris	—	John Owen Hughes
Teniente Tirano	—	Robin Hughes gyda
		David Price a John Hughes

Gwisgoedd : Edith Stanley.

Llwyfan : Michael Bartley.

Goleuo : Rex Gilfillan.

Cynorthwywyr : Iona Banks a Beryl Williams.

CARIAD CREULON

CYMERIADAU :

MERI IFANS	Gwraig weddw, 50 oed.
DAFYDD	Ei mab hynaf, 30 oed.
MAIR	Ei merch, 25 oed.
IDRIS	Ei mab ieuengaf, 21 oed.
MANOLO	Cyfaill Idris, 25 oed.
ALONSO	Gwas o Indiad, 60 oed.
PEPITA	Un o enethod yr Indiaid, 18 oed.
TIRANO	Swyddog o'r heddlu milwrol.

AMSER :

Digwydd y ddrama yn yr Andes ar droad y ganrif.

GOLYGFEYDD :

Act I : Gyda'r nos yn yr haf.

Act II :
Golygfa 1 Rhai dyddiau wedyn.
Golygfa 2 Yr un noson.

Act III : Chwe mis yn ddiweddarach.

ACT I

Ystafell fyw cartref Cymreig yn yr Andes. Mae'r to yn gwyro at y mur, gan awgrymu mai tŷ unllawr ydyw, ac mae'r muriau wedi eu hadeiladu â boncyffion praff ar ei gilydd. Mae'r ffenestr gyferbyn yn llydan ond heb fod yn uchel, a gwelir drwyddi wastadedd a mynydd yn y pellter. Ar y dde i'r ffenestr y mae drws sydd yn arwain i feranda o flaen y tŷ. Ar ochr dde y llwyfan y mae drws sy'n arwain i'r siambr a'r ystafelloedd cysgu. Ar y chwith i'r llwyfan y mae lle tân, ac yn nes ymlaen ddrws sy'n arwain i fynedfa sy'n mynd i gefn y tŷ.

Mae'r ystafell wedi ei dodrefnu'n hollol Gymreig, gyda setl dderw gyferbyn i'r lle tân, a dresel dderw sy'n cynnwys llestri hen ffasiwn rhwng y ffenestr a'r drws ffrynt. Y mae cloc mawr rhwng y drws hwn a'r un sy'n arwain i'r siambr. Ceir darlun o gapel ac un arall o bregethwyr ar y mur, ac mae Beibl Mawr yn amlwg ar y dresel.

Pan gyfyd y llen gwelir ALONSO yn eistedd ar riniog y drws agored yn gwau careiau lledr yn ffrwyn i geffyl. Gwas o Indiad yw, tua thrigain oed, ei wallt hir a du yn dechrau britho, ei wyneb tywyll yn agenog a'i gorff yn ystwyth. Gwisg drowsus bombachas llac sy'n cau am ei ffêr, sandalau ysgeifn am ei draed, a rhwymyn lliwgar am ei ganol. Lliwgar hefyd yw ei grys agored a'r crafat sidan sy'n llac am ei wddf. Fel y gweddill o'r cymeriadau estron sydd yn y ddrama sieryd Gymraeg cywir, ond ei fod yn ynganu rhai o'r cytseiniaid yn feddalach, a bod lilt yn y frawddeg, a rhithm honno'n cael ei gyflymu a'i arafu'n aml. Mae ynddo duedd hefyd i godi ei ysgwyddau a defnyddio'i ddwylo i bwysleisio yr hyn a ddywed. Mae'n ddiog, ac eto gall fod yn eithriadol heini pan fo galw. Daeth gyda'r blynyddoedd yn athronydd wrth reddf, ac eto ni chollodd ei ddireidi na'i ieuengrwydd.

Tu cefn i'r bwrdd yng nghanol y llwyfan y mae MAIR yn smwddio. Geneth bump ar hugain oed, yn chwerw a gwrthryfelus ei natur, yn drist ei hysbryd, ac eto'n gallu ymateb yn addfwyn i garedigrwydd.

Daw PEPITA i mewn o'r chwith dan ganu un o ganeuon gwerin y Paith. Â at y dresel a chario rhai o'r platiau oddi yno i'w glanhau

8

ar jwrdd bychan yn ymyl y lle tân. Geneth o Indiad yw, ddeunaw oed, ei hwyneb main fel cerflun, ei llygaid mawr yn lasddwfn, ei chroen yn dywyll a'i gwallt du yn disgyn yn ddwybleth dros ei hysgwydd. Mae ei chorff ysgafn wedi ei wisgo mewn ffrog a brat lliwgar, ac mae sandalau lliw am ei thraed.

MAIR (*Ar ôl ymuno yn y gân*) :
Mae nhw'n hyfryd, wyst ti.

PEPITA :
Be ?

MAIR :
Y'ch caneuon gwerin chi. Mae nhw mor syml a gonest. Yn enwedig honna. "Mi garwn i gael rhyddid, vidalita, fel yr hen fynyddoedd."

PEPITA :
On fedrwn ni ddim canu fel chi'r Cymry.

MAIR :
Wn i ddim am hynny chwaith. Fedra i feddwl am ddim mwy dymunol na chael gorwedd mewn gwersyll yn y nos, yr awyr dragwyddol uwchben, sŵn gwynt yn y coed, a llanc o Indiad yn canu hen hen gân i gyfeiliant gitâr.

PEPITA :
Da chi'r Cymry'n medru bod yr. . . . yn . . . romantico . . .

MAIR :
Rhamantus.

PEPITA :
Rhamantus. Rhyfedd. Dim dysgu'r gair yna.

MAIR :
Dydi o byth yn cael ei ddefnyddio yn y tŷ yma. Mae rhamantu'n ddrwg, ac ieuengtid yn bechod. Yn wahanol iawn i fywyd allan acw ar y paith ac yn y mynyddoedd.

PEPITA :
Ond mae bywyd yr Indiaid yn gallu bod yn galed iawn. Pan fydd hi'n oer, pan ddaw storm, pan fydd y gwynt mawr. Mae hi'n galed iawn weithia.

MAIR :
Ond mae nhw'n rhydd, yn rhydd i fyw'n naturiol.

9

(Saif wrth y ffenestr i syllu ar y paith).

PEPITA :

Mair . . . Ga i helpu hefo'r dillad?

MAIR :

Na, na, dos di ymlaen efo'r llestri. Ag er mwyn popeth, bydd yn ofalus rhag eu torri nhw.

PEPITA :

'Rwy'n treio bod yn ofalus wrth fod gan meistres gymaint o feddwl ohonyn nhw. Mae'n anodd deall pam y daeth hi â nhw bob cam o Gymru i'r Andes 'ma. Sut wlad ydi Cymru? Hardd?

MAIR :

Paid â gofyn i mi. Mi glywais ddweud fod yno harddwch.

PEPITA :

Hoffet ti fynd yno?

MAIR :

Mae na bedwar can milltir oddi yma i Borth Madryn, a saith mil o filltiroedd oddi yno i Gymru.

PEPITA :

Charwn i ddim mynd i wlad lle mae pawb yn dduwiol, pawb yn dda, pawb yn barchus. Neb yn chwerthin, neb yn hapus.

MAIR :

A dyna sut ddarlun sy gen ti o Gymru ar ôl byw gyda ni? Mae 'na ochr arall, siŵr o fod.

PEPITA :

Mae'n anodd credu hynny os ydi pawb yn debyg i meistres. Ac os ydi pawb felly, mae croeso iddyn nhw eu Cymru . . . er ei holl gysuron a'u tai heb dyllau . . .

MAIR :

Bydd di ddistaw, a dos ymlaen hefo'r llestri 'na . . .
(Y mae PEPITA'N ufuddhau yn llawen, oherwydd bydd MAIR yn gorchymyn fel petai'n gofyn cymwynas).

PEPITA :

Mae'r llestri 'ma'n ddel, ac mae dy fam yn meddwl y byd ohonyn nhw.

MAIR :

Mae'r llestri, y dodrefn, hyd yn oed yr haearn smwddio 'ma

. . . mae pob un wedi dod dros y môr a'r tir, ac iddi hi maen nhw'n cynrychioli bywyd Cymru . . .

(*Mae PEPITA yn cytuno â'i phen, ac yn dechrau canu'r gân werin eto. Cyfyd ALONSO ar ei draed yn ddioglyd, ac yna'n ymuno â hi i ganu'r gân fel deuawd*).

ALONSO :

Gwynt, ceffylau, gitâr a gwin. (*Y mae'n ail-ganu'r pennill*) Mama mia. Estupendo! Ah, la pampa, la pampa . . . Mae gen i hiraeth . . .

MAIR :

Ti yn hiraethu, Alonso . . .? Hiraethu am beth?

ALONSO :

Am yr amser difyr ges i pan own i'n ifanc. Mae gen i hiraeth am yr hyn na lwyddais i'w wneud, fel y mae llawer o'r Cymry yn hiraethu am yr hyn na welant byth mwy . . .

MAIR :

'Rwyt ti'n siarad yn ddoeth, Alonso . . .

ALONSO :

Mi ges i fy nysgu gan y Cymry . . .

MAIR :

Dy ddysgu i fyw gan feddwl am y gorffennol?

ALONSO :

Fy nysgu i beidio anghofio'r harddwch a fu mewn bywyd . . . 'Rwy'n cofio'r fintai gyntaf ohonyn nhw a ddaeth i Batagonia, y rhai a ddysgodd imi siarad Cymraeg, ac i weld gwerth eu barddoniaeth, ac i ganu eu caneuon : yn union 'run fath â'th rieni a ddaeth i'r Andes 'ma heb ddim ond eu hatgofion am Gymru : yn union fel 'rwy innau'n awr yn hiraethu am y paith a lleisiau fy mhlentyndod. Fe ddysgodd y Cymry imi mai cof ydi tad hiraeth.

MAIR :

Hiraeth am hapusrwydd?

ALONSO :

Hapusrwydd a rhywbeth arall hefyd . . .

MAIR (*Yn dynwared PEPITA*) :

Yo quiero ser libre, vidalita, como las montanas. (Oediad) Y mae arna i eisiau gweld popeth a fynnaf, a mynd i ble bynnag

11

yr arwain fy nhraed fi.

ALONSO :

Dim ond y rhai sy'n gryf sy'n rhydd er gwaethaf pob bygythiad. (*Y mae PEPITA yn ei watwar*). Mi gei di ddigon o amser i ddilyn dy draed . . . (*Y mae PEPITA yn troelli o'i gwmpas*). Bydd yr un fath â Pepita 'ma. 'Dydi hon yn pryderu am ddim, mor hapus ac mor chwareus . . . (*Wrth PEPITA*) Ynte 'nghariad i?

PEPITA :

Tydw i ddim yn gariad iti.

ALONSO :

Pam lai?

PEPITA :

'Rych chi wedi anghofio, 'rhen ŵr, faint ydi'ch oed chi.

ALONSO :

'Rych chi i gyd mewn cariad â'r mynyddoedd, ac mae'r rheini'n hŷn na mi.

PEPITA :

Weldi, Mair, y gymhariaeth sydd gan yr hen ddyn gwirion yma . . . Mae'r mynyddoedd yn hardd . . .

ALONSO :

'Dwyt ti ddim yn fy nhwyllo i, 'ngeneth i : 'wyt ti mewn cariad hefo rhywun arall . . .

PEPITA :

Wel wir, dyna ben arni hi : mae'r hen ŵr mewn cariad, ac yn yr oedran yna . . . Mi ddylech chi fod wedi priodi ers talwm. Os ydach chi fel hyn rŵan, sut un oeddach chi'n ifanc?

ALONSO :

Cyfrinach hapusrwydd, 'ngeneth i, ydi syrthio mewn cariad a phriodi pan mae rhywun yn hen. Po hynaf y digwydd hynny, mwya'n y byd yr hapusrwydd . . .

PEPITA (*Mewn gwawd*) :

Fell wir, gorau i gyd po hynaf? (*Mae'n chwerthin*).

ALONSO :

'Dwyt ti ddim yn gweld, eneth, po hynaf y byddi di'n priodi lleiaf yn y byd fydd yna o amser ar ôl iti ddifaru am yr hyn wnest ti. (*Mae MAIR yn mwynhau ei eiriau*). P'run bynnag,

12

mi ddanghosa'i iti pa mor ifanc ydw i. *(Cais afael ynddi)*. Mi
ro i fwy na digon o gusanau iti . . .

PEPITA *(yn ei osgoi)* :
Hen ddyn digwilydd !

ALONSO *(yn ceisio ei dal, a MAIR yn gwenu wrth ei weld yn
methu)* :
Tyrd, wiwer fach, paid â thorri 'ngalon druan i.

PEPITA *(yn cymryd arni ei bod wedi ei dal)* :
Mair, rho help imi.

MAIR :
Dyna ddigon, Alonso, paid â straenio dy hun. Cymer ofal . . .
mi fyddi'n siwr o frifo wrth fynd yn erbyn y bwrdd 'na.

ALONSO *(yn dal i redeg ar ôl yr eneth)* :
Fydd neb yn brifo wrth redeg ar ôl merch, wyst ti. Ar ôl iddo'i
dal hi y mae'r boen yn dechrau. *(O'r diwedd y mae'n gafael
am yr eneth o ddifri)*. Boed y ddafad yn llonydd wrth i'r hwrdd
orchymyn. *(Wrth i PEPITA gael ei chofleidio a'i chusanu y
mae'n llwyddo i droi ei phen a phoeri'n gyfoglyd)*.

PEPITA :
Tyn y llyffant yma oddi arna i, Mair. *(Wrth i MAIR ei helpu,
y maent yn clywed sŵn carlam ceffyl sy'n nesu)*. Estupido !
Hen ddyn gwirion !

MAIR :
Pwy sy'n dod?
*(Y mae ALONSO yn rhedeg i'r drws, yn ei agor ac yn ateb
gyda rhyddhad)*.

ALONSO :
O? *(Gydag edrychiad awgrymog)*.
*(Daw DAFYDD i mewn ,ac mae'n amlwg ei fod yn flinedig
iawn. Y mae wedi ei wisgo yn debyg i ALONSO. Tyn ei het
feddal a'i lluchio o'r neilltu. Y mae sylw ALONSO ar y rifolfer
sy'n hongian wrth ei wregys llydan, a'r gyllell hir sydd mewn
gwain ar draws ei gefn)*.

ALONSO :
Mi gêst ddiwrnod hir, Dafydd.

DAFYDD :
Do . . . ac mi rydw'i wedi blino. *(Mae'n eistedd, a rhed*

13

PEPITA i'w helpu i dynnu'r sbardynnau a'r gwregys). Diolch,
Pepita. (*Wrth MAIR sy'n syllu arno*). A be wyt ti'n ei wneud
yma?

ALONSO :

Ond . . . fachgen . . . y mae ganddi hawl i fod yn ei chartre.
Be sy o'i le ar hynny?

DAFYDD (*heb roi sylw i ALONSO*) :

Sut na fuaset ti wedi mynd i'r seiat?

MAIR :

Mi fûm allan, ac wedyn 'roedd yma waith i'w wneud.

DAFYDD :

A mam?

MAIR :

'Roedd hi wedi cychwyn cyn imi gyrraedd yn ôl.

DAFYDD :

Mewn gair, fe ofelaist nad oeddit yma adeg cychwyn.

MAIR :

'Doedd hi ddim yma, ac fe gyrhaeddais yn rhy hwyr, fel
tithau. Fyddi dithau byth yn cyrraedd mewn pryd chwaith.

DAFYDD :

Mi fu'n rhaid i mi fynd yr holl ffordd i Graig Eryr cyn dod o
hyd i'r gwartheg, a mynd â nhw wedyn i Gwm Eilir. Allwn i
ddim dod yn gynt, er imi yrru'n galed . . . Mi wyddost na
fydda i byth yn colli seiat . . .

PEPITA :

Pam codi helynt? Fe wyddom i gyd nad ydi Mair yn cael dim
pleser wrth fynd yno.

MAIR :

A phetai Dafydd yn onest, mi fuasai yntau'n cydnabod hynny
amdano'i hun. Mynd yno i blesio mam wyt ti. Ofn sydd wrth
wraidd dy grefydd di : ofn dy fam.

DAFYDD :

Ofn 'i brifo hi. Ofn yn codi o barch ati hi. 'Rwy'n cofio'r
pethau yr aeth hi trwyddyn nhw pan oeddet ti yn dy grud
ac Idris heb ei eni. Wnai yntau mo'r pethau gwyllt 'na petai
o wedi gweld y caledi hwnnw.

MAIR :

O'r gorau, frawd mawr, ti ydi angel y teulu. 'Rwyt ti'n ddyn

14

mor dda . .

DAFYDD :

Nag ydw. Brith iawn. Ond pan gymerais i le 'nhad yn y teulu
'ma ar ôl iddo farw, mi geisiais fod yn ffyddlon i'r weledigaeth
oedd ganddo fo a mam.

MAIR :

Sant wyt ti.

DAFYDD :

Dim o ̧wbl. Mae hi wedi diodde digon heb i'w phlant achosi
rhagor o ofid iddi. A sut mae cyfiawnhau achosi poen i un sy'n
dy garu di ac a aberthodd gymaint er dy fwyn di? Diolch
rhyfedd am fywyd yw sarnu'r pethau sy'n ei wneud yn werth ei
fyw.

ALONSO :

Mama mia. Cyfarfod pregethu. Estyn y plât imi gael hel y
casgliad. Dyna'r unig elw ddaw o'r siarad yma.

DAFYDD :

O'r gore, 'rhen walch. Mae'n siwr mai ti sy'n iawn. A be
fuost ti'n ei wneud heddiw?

ALONSO :

Treulio'r amser. Mi wnes ffrwyn newydd i'r ceffyl.

DAFYDD :

Ar dy eistedd, wrth gwrs.

ALONSO :

A godro.

DAFYDD :

Ar dy eistedd.

ALONSO :

A beth arall hefyd? O ie, gwylio'r haul yn cyffwrdd y mynydd.

DAFYDD :

Ar dy eistedd eto.

ALONSO :

O ie, ie. Cerdded hefyd. Ar fy nhraed. Ond dy dro di ydi
eistedd rŵan. Mae Pepita wedi paratoi cawl iti ers oriau, ac
wedi anghofio'r cwbl amano fo.

PEPITA :

Mae'n ddrwg gen i, Dafydd. Y siarad 'ma.

15

DAFYDD :
> Popeth yn iawn, Pepita.

ALONSO :
> Dos i'w nôl o'n awr ta !

PEPITA :
> Wrth gwrs.

ALONSO (*yn edrych ar ei wats*) :
> Del iawn.

DAFYDD :
> Be?

ALONSO :
> O, Pepita. Merch dda o gwmpas y tŷ hefyd.

DAFYDD :
> Wyt ti'n meddwl? (*Â at MAIR*). 'Doeddwn i ddim yn bwriadu dy frifo di, Mair. Wnei di un peth imi? Ti ag Idris. Ymdrechu dipyn mwy er mwyn i ni gael dipyn bach o heddwch yn y tŷ 'ma?

MAIR :
> Heddwch. Aberthu popeth er mwyn heddwch—dyheadau, rhyddid, personoliaeth. A beth ydi gwerth yr heddwch hwnnw wedyn? Heddwch heb hapusrwydd : ysbeidiau ohono fo. Heddwch brau, a phawb yn ofni ei dorri â gair neu weithred.

DAFYDD :
> Gad i bethau fod rŵan. Mi gawn ni siarad eto.

ALONSO :
> Fe af fi am dro bach.

MAIR :
> Nage. 'Rydech chi'n un ohono ni—yn byw dan yr un cwmwl. 'Rwy am i chithe glywed be sy gen i i'w ddweud. (*Daw PEPITA â'r cawl, llwy a bara*). A thithe, Pepita.

ALONSO :
> Pan fo teimlad yn gryfach na rheswm, mae gofid wrth y drws. Meddwl di dros y pethau a ddwedodd Dafydd. Efallai nad oes gan dy fam ddim help ei bod mor digyfaddawd. Mae haearn a burwyd trwy dân yn gry'. Cryfder felly sy ganddi hi : y cryfder fyddet ti'n ei ddisgwyl mewn dyn.

MAIR :
> Yn hollol, Alonso. Dylai fod wedi ei geni'n ddyn.

ALONSO :

Ac mae merch gref yn tueddu i fod yn fwy gormesol na dyn
bob amser.

MAIR :

Ydi, ac yn annaturiol.

ALONSO :

Na, ti'n gweld, dyna sy'n naturiol iddi *hi*. Dyna'i natur hi.

MAIR :

Os felly, 'doedd ganddi ddim hawl i fod yn fam.

DAFYDD :

'Rwyt ti'n chwerw, Mair : yn chwerw iawn. Mae hi'n ein
caru ni, wyddost. Tria gofio hynny.

MAIR :

Ein caru ni fel y dylem ni fod yn ei meddwl hi, ac nid ein caru
ni fel yr ydan ni mewn gwirionedd.

ALONSO :

Chydig iawn o bobol a gei di i'th garu er dy fwyn dy hun,
'ngeneth i. Os bydd gen ti yn dy oes ddau neu dri chyfaill fydd
yn dy garu, a hynny waeth beth a ddywedi di nag a wnei di,
mi fyddi'n lwcus iawn.

MAIR :

Ond y mae 'na gyfeillion felly. Ac fe ddylai mam rhywun o
bawb fod felly.

DAFYDD :

Mae hi'n meddwl y byd ohono-ni. Dyna pam mae hi am inni
fod yn . . . wel, yn bur ac yn . . . yn dda, a thrwy hynny yn
hapus.

MAIR :

Hapus?

DAFYDD :

Mae hi'n credu mai trwy fod yn dda y mae bod yn hapus. Fe
ddylem deimlo'n ddiolchgar tuag ati.

MAIR :

Sut medr neb naturiol ddiolch am . . .

DAFYDD :

Hi ddaeth â ni i'r byd. Hi pia' ni.

MAIR :

Chafodd neb erioed ddewis ei rieni.

17

DAFYDD :

Ac fe adawodd ei chartref yng Nghymru er mwyn i ni, ei phlant, gael gwell cyfle yn y wlad yma.

PEPITA :

Biti iddi hi adael Cymru yntê? Mae hi'n sôn am yr Hen Wlad fel petai'n baradwys. Yn union fel y byddwn ni'r Indiaid yn sôn am y nefoedd lle mae helwriaeth berffaith.

MAIR :

'Rwyt ti'n iawn, Pepita. Gadael 'i Chymru oedd ei chamgymeriad hi. Petaem ni wedi cael ein magu yno, efallai y buasai'n haws inni ddygymod â byw'n ddof a pharchus.

ALONSO :

Heb i wylltineb yr hen baith 'ma gynhyrfu'r gwaed, a heb i'r hen fynyddoedd 'ma roi her i'r ysbryd.

MAIR :

'Does ganddi hi ddim cydymdeimlad â ni. 'Tydwi ddim yn meddwl iddi hi fod yn ifanc erioed—yn ifanc mewn gwirionedd. 'Roedd plant Cymru yn hen yn ddeuddeg oed : yn cael 'u gorfodi i ddysgu diwinyddiaeth mewn Cyfarfodydd Darllen, ac yn cael eu gwahardd i fod yn blant naturiol, yn enwedig ar y Sul. Ond 'rydan ni'n ifanc, wedi'n magu mewn gwlad ifanc. Mae gennym ni nwydau glân, naturiol, cryfion. Fedr neb ddiystyrru'r rheini.

DAFYDD :

Rhaid inni reoli'r nwydau . . .

MAIR :

Rheoli efallai, nid eu mygu. Mae natur wedi rhoi adenydd inni, a phobol biwritanaidd yn gwahardd inni 'u defnyddio nhw.

ALONSO :

Ac mae'n anos dygymod â hynny yn yr Andes 'ma, Dafydd.

DAFYDD :

Sut hynny? Yr un ydi greddfau dyn ym mhob oes a gwlad.

ALONSO :

Na, weldi. Mi allwn i feddwl fod pobol ifainc yng Nghymru mewn cawell, ond fod y cawell hwnnw mewn stafell gyfforddus. Tydyn-nhw ddim yn gweld yr eangdera, ac felly'n dygymod yn well â'r caethiwed. Ond yn yr Andes yma mae'r cawell allan yn yr awyr agored, ac mae'r ysfa i hedeg yn angerddol.

MAIR :

Ac mae n rhaid i 'ngreddfau i wrthryfela neu nychu a marw.

DAFYDD :

Ond rhaid rhoi llyffethair arnyn nhw.

ALONSO :

Ond nid llyffethair oddi allan. Yr ysbryd sydd i reoli'r cnawd.
Hawdd iawn ydi boddio'r cnawd. Ond wrth fygu'r greddfau,
'rwyt ti'n cau'r ffenestri ar yr enaid, ac mae o'n gwywo o eisiau
awyr iach a heulwen.

DAFYDD :

Ond mae hi'n ddyletswydd arno ni i gadw'r delfrydau Cym-
reig, a'r hen draddodiadau. Dyna oedd amcan sefydlu'r wlad
newydd yma. Dyna sut y medrodd yr arloeswyr ddioddef poen
a siom a hiraeth a gofid. Aberthu i greu Cymru well oedden
nhw.

MAIR :

Gan feddwl mai eu ffordd nhw o fyw oedd yr unig ffordd
iawn, a cheisio gorfodi pawb o'u cwmpas i fyw 'run fath â
nhw.

DAFYDD :

Ond y *mae* ffordd y Cymry o fyw yn well na . . .

MAIR :

Ydi, i bobol Cymru, a hynny yng Nghymru ei hun. Ond nid
yma.

ALONSO :

Ofer trawsblannu blodau i ddiffeithwch.

DAFYDD :

Ond mi allwn wrteithio'r diffeithwch. Mae mam yn iawn :
mae'n rhaid inni wrthwynebu'r llifeiriant paganaidd yma sydd
o'n cwmpas, a. . .

MAIR :

O! taw da thi. 'Rwyt ti'n siarad fel pregethwr. Mae croeso i
ti wneud hynny, ond pam fy ngorfodi i?

DAFYDD :

Er dy les.

MAIR :

Lles? Pa les yw gorfodi pobol i fyw mewn cadwyni a'r rheini'n rhydu am eu henaid nhw?

DAFYDD:

Unwaith eto mae'n rhaid iti gofio am y bywyd caled a gafodd hi yn yr Andes 'ma: ymladd yn erbyn yr elfennau, teithio mewn wagen dros y paith am chwe wythnos, cysgu dan y wagen bob nos. Yna arloesi'r fferm 'ma, a gwneud cartref Cymreig crefyddol yn y Gwyndy 'ma o ddim byd.

ALONSO:

Mae yna wir yn hynna. Dim ond cymeriada cry' a dewr a allai wneud peth fel 'na.

DAFYDD:

Ac mae'n naturiol iddi hi wrthod plygu i'r dylanwadau newydd, estron, sydd o'n cwmpas ni.

MAIR:

A'r canlyniad ydi bod yn rhaid i ni blygu i'w ffordd hi.

DAFYDD:

Fedri di ddim bodloni am dipyn? Am dipyn?

MAIR (yn dawel a phendant):

Mae yna rai pethau y dylai plant gael rhyddid i'w dewis drostyn 'u hunain. Llwybr eu bywyd. Eu ffordd o fyw. Eu ffrindiau.

DAFYDD:

Er i hynny fod yn niwediol iddyn nhw?

MAIR:

Mae'n well i rhywun ddefnyddio'i ryddid a dioddef, na byw'n ddiogel mewn caethiwed. Os bydd dyn yn dioddef oherwydd 'i gamgymeriadau ei hun, wnaiff o ddim grwgnach, ond wynebu'r canlyniada heb gwyno.

ALONSO:

Wel wir, mae dawn siarad rhyfedd ganddo chi'ch dau, ac mae hi'n mynd yn seiat yma rŵan.

MAIR:

Dim o gwbwl: mae yma ormod o onestrwydd.

DAFYDD:

Dyna ti eto. Mae 'na rhyw chwerwedd yn dy natur di sy'n gwneud bywyd yn annioddefol i ti a phawb o'th gwmpas.

MAIR:

Os nad wyt ti'n hoffi 'nghwmni i, cadw draw oddi wrtha i.

20

ALONSO :

Peidiwch â cholli'ch tymer wir. Mae hwnnw'n beth mor brin : rhywun yn ei golli o hyd yn y tŷ 'ma.

PEPITA (*wrth y ffenestr*) :

Mae Idris yn dod.

DAFYDD :

Lle mae *o* wedi bod, sgwn i?

PEPITA (*yn petruso dweud wrthyn nhw*) :

Ac mae Manolo'n dod efo fo.

DAFYDD :

Be? Manolo? (*Yn mynd i syllu trwy'r ffenestr*). Be 'di feddwl o? Y ddau ohonyn-nhw, o ran hynny.

ALONSO (*yn y drws*) :

Mae nhw'n gyrru'n o arw. (*Â allan. Sŵn dau geffyl yn carlamu'n nes*).

DAFYDD :

Y ffyliaid. Manolo'n dod yn ôl yma. ·Mae Idris ar fai.

MAIR :

Mi fydd yn well iddo fynd cyn i mam ei weld.

DAFYDD :

Mi gei di ei berswadio. Mae genti dipyn o ddylanwad ar Manolo.

MAIR :

Be wyt ti'n 'i feddwl?

DAFYDD (*yn edrych arni heb ateb, ac yn mynd allan*) :

PEPITA :

Mae'n biti i Manolo ddod yma.

MAIR :

Ydi.

(*Sŵn y ceffylau'n peidio. Mae'r ddwy yn syllu trwy'r ffenestr*).

PEPITA :

Mae o mor fentrus.

MAIR :

Tydi arswyd y lle 'ma ddim wedi disgyn arno fo. Ond fe ddylai Idris wybod yn well. (*Yn gweld Manolo yn dod i'r tŷ*). Mae'n well iti fynd i baratoi tamaid o fwyd iddyn nhw.

PEPITA :

O'r gorau. (*Yn cilio i'r chwith*).

(Daw MANOLO i mewn yn llanc tal a lluniaidd tua phump ar hugain oed. Y mae wedi ei wisgo yn debyg i DAFYDD, ond fod ganddo ddau rifolfer yn crogi o'i wregys. Er ei fod yn wylliad, nid yw yn hyf na garw, ond yn gwrtais ei ffordd, a'i siarad yn ddeniadol hyfryd a thawel. Er yn greulon a beiddgar mewn argyfwng, bydd yn dyner ac annwyl pan fo cyfle. Y mae'n un hawdd ei garu, ac ni ellir llai nag edmygu ei wroldeb ysgafala).

MANOLO :

Ola ! Maria ! Como estas, querida ?

MAIR :

Porque venistes ? Esto es demasiado peligroso. No debias venír. Hay, que podemos hacer. Manolo, Manolo, pam y doist ti yma . . . i'r tŷ ?

MANOLO *(yn gellweirus)* :

Methu byw heb dy weld di, wyddost. A dyma lwc : neb o gwmpas. *(Yn dechrau ei chofleidio).* Tesoro mio ! Mi dulce amor !

MAIR :

Na, paid. *(Yn ceisio'i wthio i ffwrdd).* Mae rhywun yn siŵr o ddod.

MANOLO :

Be sy'n bod arnat ti mor ofnus ? Caramba, mae'r breichiau yma wedi bod yn wag mor hir, weldi.

MAIR :

Clyw, Manolo. Gwrando. Rhaid iti fynd.

MANOLO :

Be 'di'r brys ? 'Roedd Idris yn dweud ei bod hi'n siŵr o fod yn y seiat.

MAIR :

Ond fe ddaw'n ôl gyda hyn. Rhaid iti fynd ar unwaith.

MANOLO *(gyda chwerthiniad)* :

O, dim digon parchus i'r lle 'ma debyg.

MAIR :

Chwarae teg, fuasai yr un o famau Cymraeg y wlad 'ma'n fodlon i'w phlant gymysgu gydag un sy'n wylliad.

MANOLO :

Damwain ydi bod yn Gymro neu yn wylliad : damwain geni.

22

MAIR :

    Mi wn i hynny, Manolo, ond mi wyddost yr helynt sy yma am fod Idris yn ffrind iti, ond petai hi'n amau fy mod i yn. . . yn . . . wel . . . yn dy hoffi, mi fyddai ar ben. Ac mae hi'n ddigon anodd byw yma fel y mae hi.

MANOLO :

    Tyrd i ffwrdd hefo mi, querida. Mae bywyd yn rhy fyr i'w wastraffu ar dristwch.

MAIR :

    Hwn ydi 'nghartre i.

MANOLO :

    Os nad yw'n gartre hapus, mae'n well iddo chwalu. Tyrd efo mi. Mi gei fyw yn hapus yn y mynyddoedd. Cawn fyw mewn caban coed. Byw yn naturiol. Byw yn agos i'r ddaear.

MAIR :

    Mae byw felly'n rhy beryglus.

MANOLO :

    Perygl sy'n rhoi blas ar fyw. Gad i'r hen bobol fyw yn ddof a pharchus wrth y pentan. Tyrd hefo mi i'r haul. Fe ddaw heul-wen yn ôl i'r llygaid 'na, a chwerthin i'th lais . . .

MAIR :

    Na, na, alla i ddim . . . mae'n amhosibl. Paid â nhemtio i.

MANOLO :

    Ond mae 'mlodyn i'n gwywo yn y tŷ gwydr afiach 'ma. Tyrd. Cawn orwedd dan ddawns y sêr. Cysgu ar y ddaear garedig. Deffro ym mreichiau'n gilydd.

MAIR :

    O ! Manolo. Paid, Manolo . . . Fe hoffwn i ddod, ond alla'i ddim . . . alla i ddim . . .

MANOLO (*yn ei chusanu wrth weld ei dagrau*) :

    Gad imi gusanu'r dagrau 'na i ffwrdd. O ! Maria mia . . . mi alma . . .

ALONSO (*yn dod i mewn yn sydyn a distaw ac yn rhoi pesychiad bach*) :

    Oho ! A dyna fel y mae hi, aie ? Pan fo llif yn yr afon, hawdd clywed ei sŵn.

MAIR :

    Oh ! Alonso . . . paid â . . .

MANOLO :

Ac os clywaist ti'r sŵn, pam y mentri di i ganol y lli? Dos, cyn imi dy luchio allan. Vayas, tonto . . . vayas . . .

ALONSO :

Popeth yn dda. Peidiwch â gwylltio. Wna i sôn yr un gair am hyn, 'ngeneth i. Mae'n dda gweld dipyn o gariad yn y tŷ 'ma. Ond mae Idris eisiau dy help i newid y ceffylau, Manolo. Mae o am iti frysio.

MANOLO :

Bueno . . . bueno . . . Ac mae Idris ar frys felly?

ALONSO :

Ar frys mawr. Mae o yng nghefn y tŷ, yn y coral bach, yn cyfrwyo ceffylau ffres.

MANOLO :

Mi â i drwy'r cefn felly. (*Yn mynd drwy'r drws ar y chwith*). Mi ddof yn ôl gyda hyn. Hel becyn o fwyd inni, Mair. Mae gynnon ni daith go bell.

MAIR :

O'r gorau. (*Yn galw*) Pepita !

PEPITA (*o'r gegin gefn*) :

'Rwy'n dod . . . ar unwaith . . .

MAIR :

Tyrd â bara a menyn . . . a hynny o gig sydd 'na . . .

PEPITA :

O'r gorau . . . (*yn dod i mewn gyda'r bwyd*). Dyma nhw.

MAIR :

Gad inni wneud dau becyn ohonyn nhw.

ALONSO :

A chyn gynted ag y gellwch chi. Mae Dafydd o'i go'n lân.

MAIR :

Ydi, mae'n siwr. Ym mhle mae o?

ALONSO :

Allan yn y cefn yn ffraeo Idris.

MAIR :

Fydd hynny fawr o les.

ALONSO :

Na fydd.

MAIR :

Mi gei di fynd â'r ddau becyn 'ma iddyn-nhw, Alonso, os gwnei di. Fe gychwynnan yn gynt o gymaint â hynny.

(Wedi gorffen paratoi'r pecynnau mewn distawrwydd, y mae ALONSO yn mynd â nhw allan, ac â PEPITA â gweddill y cig i'r gegin fach. Daw DAFYDD i mewn o'r cefn, a'i bryder yn agos i banic).

DAFYDD :

Wn i ddim beth i'w feddwl o'r hogyn Idris 'na. 'Does ganddo fo ddim synnwyr o gwbl.

MAIR :

'Does dim diben gofidio am hynny'n awr. Yr hyn sy'n bwysig ydi eu cael nhw ymlaen ar eu taith cyn gynted ag y gallwn ni. *(Daw PEPITA yn ôl).*

DAFYDD :

Ie. 'Rwyt ti'n iawn. Ond mae o mor ddi-feind. Er 'i fod o'n ymddangos ar dipyn o frys heddiw.

PEPITA :

Ofn i'w fam gyrraedd. *(Â at y ffenestr).*

DAFYDD :

Tydw i ddim mor siŵr. Mae o'n gwrthod dweud dim wrtha i, beth bynnag.

PEPITA :

Mae hi'n dod. Dafydd, mae hi yma.

MAIR :

Rhed i rybuddio Idris . . .

DAFYDD :

Mae'n rhy hwyr. Mi fydd yn well imi aros yma i'w chadw rhag mynd i'r cefn. Treia di gael cyfle i fynd allan, Pepita.

(Erbyn hyn y mae DAFYDD yn eistedd ar y setl, PEPITA wrth y bwrdd bach yn glanhau'r llestri, a MAIR yn smwddio ar y bwrdd mwyaf.

Daw MERI IFANS i mewn, gwraig tua hanner cant oed, yn ddall ac urddasol. Nid yw'n gyffredin mewn ddim. Y mae'n awdurdodol, a hynny'n ganlyniad ei chymeriad cryf. Y mae ei chred onest yn yr hen draddodiadau yn ei dallu i ddyheadau ieuengrwydd a gofynion bywyd naturiol. Y mae'n biwritan anoddefgar, ond nid ei bai hi yw ei hagwedd at fywyd : ni

25

all yn amgen. Iddi hi y mae asbri yn haint, a serch yn bechod.
Y mae disgyblaeth lem bywyd patrymog y capel wedi lladd ei
gallu i weld rhinwedd yn neb oni ddilynant yr un patrwm.
Cred hyn â'i holl enaid : dyna'r trasiedi. Lliwiwyd ei theim-
ladau â'r grêd yng ngrym disgyblaeth. Y mae ganddi wyneb
llyfn, llygaid llym a llais caled : y mae'n wraig feddiannol a
meistrolgar. Y mae ei gwisg yn barchus ddu. Gesyd ei llyfr
emynau ar y dresel, ac yna tyn ei menyg a'i het yn ofalus).

MERI IFANS (*heb droi i edrych ar DAFYDD*) :
  'Rwyt ti wedi cyrraedd felly.

DAFYDD :
  Do, mam. (*Wedi eiliadau o ddistawrwydd anghysurus*). Oedd
  yna lawer yn y seiat?

MERI IFANS :
  'Run rhai. Rhyw ddwsin ohono ni. Wn i ddim be ddaw o'r
  achos, a'r bobl ifanc yn malio dim amdana fo. 'Roedd Mrs.
  Jenkins, yn 'i ffordd 'i hun, yn awgrymu heno nad oedd yr
  un ohono chi yno.

MAIR :
  Pam na wnaiff hi feindio'i busnes 'i hun.

MERI IFANS (*ny troi i syllu arni*) :
  Mair ! Y mae hi'n fusnes i bob aelod o'r eglwys weld fod yr
  aelodau eraill yn ffyddlon. Ac mae Mrs. Jenkin Jones *yn*
  ffyddlon ei hun.

MAIR :
  Pa werth ydi ffyddlondeb dynes straegar a dau-wynebog. Os
  nag ydi mynd i'r capel yn . . .

MERI IFANS :
  Mair ! Y mae hi o leia yn ffyddlon, ac mae hynny'n rhinwedd
  na elli di mo'i ddangos i'r byd. A pha siampl wyt *ti'n* ei roi
  i'r bobl anwar 'ma o'n cwmpas ni? 'Rwyt ti'n mynd yn fwy
  tebyg iddyn nhw bob dydd. Gwylia di dy gerddediad, 'merch
  i. 'Roedd Mrs. Jenkin Jones yn iawn. Rhaid imi dy gymryd di
  mewn llaw. Mae hi'n batrwm o ffyddlondeb i bawb o'i chwm-
  pas.

MAIR :
  Ydi, yn batrwm o ddynes ddau-wynebog.

26

MERI IFANS :
   Mair!
MAIR :
   Dyna'r gwir, mam. Yn batrwm o dduwioldeb yn y capel, ac
   yn crafu hynny a fedr hi ar y byd 'ma yn y siop. Caled fel
   craig wrth ddelio â rhai llai ffodus na hi. "Dim iws cymysgu
   crefydd efo busnes," medde hi. Mae'n ddigon hawdd ym-
   dangos yn dduwiol. Peth arall ydi bod yn dduwiol.
MERI IFANS :
   Feddyliais i 'rioed y clywn i ferch i mi yn siarad fel hyn.
   'Rwyt ti'n gwilydd dy glywed. Os nad wyt ti'n fodlon ar
   bethau fel y mae nhw tua'r capel, dy ddyletswydd di ydi dod
   yno i geisio'u gwella. Ac mae hynna'n dod â mi at beth arall.
   (Wrth DAFYDD). Sut na fuaset ti yn y seiat heno?
DAFYDD :
   Mi es yn rhy bell i allu cyrraedd yn ôl mewn pryd.
MERI IFANS :
   Rhaid iti drefnu dy waith yn well. Yng Nghymru fe fyddem
   ni'n gofalu gorffen popeth cyn amser capel.
MAIR :
   Pa bryd y cawn ni sylweddoli nad yng Nghymru yr yda ni?
   Pa bryd yn enw'r nefoedd. (Yn mynd allan).
MERI IFANS :
   A dyna'r tâl sydd i'w gael am ymdrechu i fagu plant yn
   deilwng. Dyna'r parch sydd ganddyn-nhw i'r arloeswyr . . .
   Pepita, 'dwyt ti byth wedi gorffen efo'r llestri 'na? Paid â
   gwenu mor sbeitlyd arna i, y gnawes fach! Cofia di dy le yma.
   Wel, dos ymlaen, gorffen y llestri 'na.
   (Yn ei dychryn y mae PEPITA'N gollwng plât yn deilchion
   ar y llawr).
PEPITA :
   Ow! Mae'n ddrwg gen i.
MERI IFANS :
   Plât ges i gan mam. A rhyw estron fel ti . . . (Yn mynd i daro
   PEPITA).
DAFYDD (yn ei rhwystro) :
   Mam. Peidiwch.

27

MERI IFANS :

Mae popeth o werth yn mynd yn deilchion yma. (*Â allan i'r siambr ar y dde. Y mae Pepita ar ei gliniau yn casglu'r darnau. Plŷg DAFYDD i'w helpu*).

DAFYDD :

Paid â chrïo, Pepita.

PEPITA :

Ond alla i ddim peidio. (*DAFYDD yn ei chusanu*). Dos i rybuddio Idris.

DAFYDD :

Mae Mair wedi gwneud hynny. Gwranda, Pepita, paid â phoeni am y plât 'na.

PEPITA (*yn wylofus*) :

'Rwy'n gwneud fy ngorau i'w phlesio hi. Mae gen i ei hofn hi. Mae gen i ei hofn hi! 'Rydw'i am ddianc i ffwrdd.

DAFYDD :

A gadael i'r milwyr dy ddal di? Fe gaet dy anfon i Buenos Aires i fod yn gaethferch i'r bobol fawr yno.

PEPITA :

Fuasai hi ddim gwaeth arna i yno.

DAFYDD :

Fe wyddost nad yw hynny'n wir. Mi wn i sut driniaeth a gaet ti . . . Ac wedi'r cwbl, onibai am mam, mi fuaset wedi gorfod mynd yno ers talwm. 'Rwyt ti'n cael llonydd gan bawb yma.

PEPITA :

Ond mae pawb mor anhapus yma. Rhaid imi fynd.

DAFYDD :

Ond i b'le?

PEPITA :

Yn ôl at y llwyth.

DAFYDD :

Mae'r milwyr wedi hela'r Indiaid yn bur llwyr erbyn hyn.

PEPITA :

Ond nid ein llwyth ni. Mae nhw'n cuddio yn y mynyddoedd. 'Rwy'n gwybod sut i fynd yno : i fyny afon Leufu, ac mae 'na fwlch cul rhwng y coed yn ymyl y rhaeadr, a hwnnw'n arwain i Gwm Caran lle mae'r llwyth. Dafydd, fedra i ddim aros yma.

DAFYDD :
   Mae'n ddrwg gen i am yr hyn wnes i.
PEPITA :
   Be?
DAFYDD :
   Dy gusanu di.
PEPITA :
   Dafydd, dyna pam yr arhosais i yma. Disgwyl iti edrych arna i.
   Dysgu Cymraeg i drio bod yn nes atat ti. Dyheu am gael dy
   freichiau amdana i . . .
DAFYDD :
   Paid, Pepita. Ddaw dim lles o hyn. A beth am Idris?
PEPITA :
   Ffrindia. Hwyl arwynebol. Dim arall.
DAFYDD :
   'Rwy'n llawer hŷn na thi.
PEPITA :
   Ydi oed yn bwysig lle mae cariad?
DAFYDD :
   Fydde ti ddim yn hapus yma.
PEPITA :
   Oes raid byw yma?
DAFYDD :
   Fedra i ddim! Fedra i ddim!
PEPITA :
   Na fedri. Mae dy wreiddiau di'n rhy ddwfn yn y bywyd Cym-
   raeg. Dafydd Ifans, y Gwyndy, yn caru gydag Indiad. Ergyd
   arall i'r bywyd Cymraeg. (*Mae'n wylo*).
DAFYDD (*yn ei chofleiddio a'i chysuro*) :
   Mae'n ddrwg gen i. Mae'n ddrwg gen i, Pepita annwyl.
ALONSO (*yn dod i mewn*) :
   Dafydd, b'le mae hi.
DAFYDD :
   Yn y siambar. Beth am Idris a Manolo?
   Mae nhw'n barod i gychwyn heb iddi eu gweld. Ei chadw
   rhag eu clywed sydd eisiau. Digon o sŵn. (*Wrth PEPITA*).
   Wel, fy wiwer fach i, ag mae rhywun arall wedi ennill dy galon
   di?

29

PEPITA :

Peidiwch â lolian.

ALONSO :

Ydi hynny ddim yn wir?

PEPITA :

Peidiwch â bod yn wirion.

ALONSO :

Wel, cod dy galon. 'Rwy i gen ti. Dawns fach 'nawr i brofi hynny.

PEPITA :

Peidiwch. Dafydd! (*Ond gŵyr mai creu stŵr yw amcan ALONSO*).

ALONSO :

Tyrd yma! Aros di imi dy ddal di. (*Yn curo'i ddwylo wrth redeg ar ei hôl*). Dyma fi wedi dy ddal di. Dawnsia rŵan. Dawnsia.

MERI IFANS (*yn dod i mewn*) :

Alonso! Be sy'n mynd ymlaen yma. (*Y ddau yn sefyll*). Rhag eich cwilydd chi, Alonso, yn cellwair efo'r eneth wirion 'na. Mae hon yn ddigon penchwiban ac anniben fel y mae hi. At eich gwaith ar unwaith.

ALONSO :

Mae'n ddrwg gen i. Arna i yr oedd y bai. Tyrd, Pepita. (*Ânt allan*).

MERI IFANS (*yn eistedd*) :

Wn i ddim be ddaw o'r lle 'ma, na wn i wir. Onibai amdanat ti, Dafydd, mi fuaswn i wedi torri 'nghalon.

DAFYDD :

Mae'r ddau yn ddigon diniwed, mam.

MERI IFANS :

Nid meddwl am y ddau yna 'roeddwn i, ond am Mair ac Idris.

DAFYDD :

Fuaswn i ddim yn poeni llawer amdanyn nhw chwaith. Rhywbeth dros dros ydi'r gwrthryfel 'ma.

MERI IFANS :

Mi 'rydw i wedi rhoi gormod o raff iddyn nhw.

DAFYDD :

Tydi Idris yn ddim ond deunaw oed. Fe ddaw yn gallach.

MERI IFANS :

Caru 'i les o 'rydw-i.

DAFYDD :

Ie, ac mae pawb yn gwybod hynny . . . pawb . . . ond Idris
ei hun. Ond fe ddaw yntau i weld hynny.

MERI IFANS :

'Rwyt ti'n gysur mawr imi, Dafydd. 'Rwyt ti'n debyg i'th dad
druan : y creadur ffeindia dan haul. 'Roedd yma hapusrwydd
pan oedd o'n fyw. Ond rŵan . . .

(Daw IDRIS i mewn yn frysiog o'r chwith, a MANOLO a
MAIR yn ei ddilyn. Y mae yntau wedi ei wisgo yn debyg i
MANOLO).

DAFYDD :

Idris !

MERI IFANS :

Idris. Beth wyt ti . . . (yn gweld MANOLO). Manolo. Ac mi
'rwyt ti yma. Pwy a roes ganiatâd i ti roi dy droed yn y tŷ 'ma?

MANOLO :

Mae'n ddrwg gen i, Senora, ond . . .

MERI IFANS :

Allan â thi.

MANOLO :

Ond tydach chi ddim yn deall . . .

MERI IFANS :

Allan . . .

IDRIS :

Gwrandwch, mam . . .

MERI IFANS :

Na . . . allan â fo !

IDRIS :

Ond mae'r polîs . . . mae nhw'n dod tuag yma . . .

MERI IFANS :

O? Felly y mae hi aie? Y polîs . . .? Os felly, mi gei di aros
yma, Senor Manolo. Mi fydd yn dda gen i gael dy dros-
glwyddo iddyn nhw yn ôl dy haeddiant . . .

IDRIS :

Gwrandwch, mam . . . mae nhw ar fy ôl innau hefyd.

31

MERI IFANS :

Beth? Be ddwedaist ti?

IDRIS :

Mam, 'does dim amser i egluro rŵan . . . mi fyddan yn cau
am y tŷ 'ma . . .

Mab i mi . . .? Y polîs yn cau am y tŷ?

MAIR :

Y polîs yn chwilio am eich mab ac yn cau am eich tŷ . . .
'does dim amser i ddadlau . . . mae'n rhaid iddyn nhw guddio
yn y siambar . . . a chitha ddweud nad ydyn-nhw ddim yma
. . . na welsoch chi mohonyn nhw . . .

MERI IFANS :

Wyt ti''n gofyn imi ddweud celwydd? Tydw i 'rioed wedi
dweud celwydd yn fy mywyd, a 'does gen i ddim hawl i helpu
neb sydd wedi torri'r gyfraith . . . dim hyd yn oed fy mab fy
hun . . .

IDRIS :

Helpwch fi, mam . . . heb eich help chi mi fyddwn yn mynd
i'r carchar . . .

DAFYDD :

Ddylem ni ddim gwrthod ei helpu yn awr . . .

MAIR :

'Does wybod be ddaw ohono fo . . .

(Clywir sŵn carlam esmwyth ceffylau yn nesu. Y mae MERI
IFANS yn gwrando ac yn petruso, gan syllu ar ei phlant yn
ansicr).

IDRIS :

Mae'r cwbl yn dibynnu arnoch chi, mam . . .

MERI IFANS (sy'n syllu i fyw llygaid MANOLO) :

O'r gorau, ond ar yr amod dy fod yn torri pob cysylltiad â'r
. . . â hwn.

IDRIS :

Unrhyw beth a ofynnwch chi, mam.

MANOLO :

Fel y dymunwch chi, senora.

DAFYDD :

Mi fydd eich gair yn ddeddf inni, mam . . .

MAIR :
'Does dim amser i ddadlau . . .

MERI IFANS :
Fe ddwedais y buaswn i'n cytuno ar un amod . . .

IDRIS :
Beth bynnag a fynnoch chi, mam . . .

MERI IFANS (*yn cyfeirio at MANOLO*) :
Idris, wyt ti'n addo nad ei di byth eto hefo'r dyn yna?
(*Clywir sŵn traed yn nesu. Mae DAFYDD yn rhedeg at y ffenestr*).

DAFYDD :
'Does dim amser i drafod rhagor . . . mae'r Teniente Tirano wrth y drws.
(*Ar draws siarad DAFYDD, y mae TIRANO yn curo ei ddwylo ynghyd yn ôl arfer y wlad pan fo'r drws yn agored*).

MERI IFANS (*yn troi at IDRIS a MANOLO ac yn dweud mewn llais isel*) :
Peidiwch chi'ch dau â symud nes y dweda i wrthych chi.
(*Y mae TIRANO yn curo'i ddwylo drachefn, ac mae MERI IFANS yn galw mewn llais caredig*).

MERI IFANS :
Adelante, hombre, adelante . . .
(*Gŵr byr o gorff yw'r TENIENTE TIRANO, a'i wisg yn gyfuniad rhyfedd o un milwr a phlismon. Mae'n gorffol, ac wedi ei wisgo â chap-a-phig, siaced fotymog, trowsus â stripen goch ar ei hyd, cleddyf ar un ochr iddo, a rifolfer yr ochr arall. Mae mwy o lediaith ar ei Gymraeg. Mae'n hynod foesgar, ac eto'n ymwybodol o'i bwysigrwydd a'i awdurdod yr un pryd*).

TIRANO :
Muy buenas tardes, senora . . . maddeuwch i mi am dorri ar draws eich aelwyd fel hyn . . . ond fel y gwyddoch chi'n dda, caethweision i'n dyletswydd ydan ni . . .

MERI IFANS :
Popeth yn dda. Mae croeso i bawb alw yma ar eu taith. Gymerwch chi fwyd a diod?

TIRANO (*yn sicr ohono'i hun*) :
Na, dim byd felly, senora . . . (*Petrusa. Yna edrych drachefn i gyfeiriad IDRIS a MANOLO*). Chwilio am ddau wylliad yr

33

ydan ni . . .

MERI IFANS :

Gobeithio y daliwch chi nhw, a'u rhoi i gyd yng ngharchar. Mae eisiau gwared y wlad 'ma o'r giwed.

TIRANO :

Oes, senora, yn anffodus . . . (*Petrusa, gan syllu eto i gyfeiriad IDRIS a MANOLO*). 'Does gen i ddim eisiau achosi poen i chi, oherwydd gwyddoch ein bod ni yn eich parchu chi yn fawr iawn . . .

MAIR :

Tydi gofynion y gyfraith 'rioed wedi poeni dim arnom ni.

MERI IFANS (*wrth ei merch*) :

Bydd di'n ddistaw.

DAFYDD :

Mae'r swyddog eisiau dweud rhywbeth arall . . .

MERI IFANS :

A tithau hefyd . . .

TIRANO :

'Rown i'n dweud nad oeddwn i eisiau achosi poen ichi, oherwydd . . .

MERI IFANS :

Ond ddyn annwyl, mi fyddwn ni'n ddiolchgar ichi am bopeth a wnewch chi yn erbyn y gwylliaid . . .

TIRANO (*gydag ymdrech, dywed ar un gwynt*) :

Ond y tro yma mae'r gwylliaid yn eich tŷ chi . . .

MERI IFANS :

Yn fy nhŷ i? Be ddwetsoch chi?

TIRANO (*yn chwilio am eiriau rhag brifo teimladau MERI IFANS*) :

Mae'n ddrwg gen i, senora, ond mae'n rhaid i Idris a **Manolo** ddod hefo mi . . .

MANOLO :

Ac i beth . . .?

TIRANO :

Fe wyddost ti hynny'n ddigon da . . .

MAIR :

Dim o gwbl, ni all Manolo . . .

IDRIS :

Wnes i ddim byd . . .

34

MERI IFANS :

Byddwch ddistaw bawb . . . (*wrth TIRANO*). Be ddwetsoch chi?

TIRANO :

Wel . . . dweud wnes i fod yn rhaid i Idris a Manolo ddod gyda mi, oherwydd mae'n rhaid iddyn nhw egluro rhai pethau . . . rhai pethau efallai fydd . . .

MERI IFANS :

Mynd â mab i mi i'r carchar? Wyddoch chi be ddwetsoch chi? 'Rych chi wedi angofio fod y tŷ hwn yn gartref i deulu parchus. Mi gewch chi glywed am hyn eto. Rhaid imi gael gair gyda'r rhai sydd uwch eich pen, mae hyn yn beth difrifol . . . yn anioddefol . . .

TIRANO :

Mae'n ddrwg gen i, senora, ond fe gyhuddir Idris a Manolo o fod wedi torri i mewn i siop Anonima.

MERI IFANS :

'Rych chi'n dal i haeru . . .?

TIRANO :

Credwch fi, senora, petai o'n fater i mi'n bersonol . . .

MERI IFANS :

Pa brofion sydd gennych chi?

TIRANO :

Disgrifiad a roddwyd inni o'r ymosodwyr . . .

MERI IFANS :

Disgrifiad gan bwy?

TIRANO :

Juan Camino, gwyliwr nos yn y siop. Ymosodwyd arno a'i glwyfo'n ddifrifol . . . a heddiw fe roes ddisgrifiad o'r rhai a ymosododd arno, a hynny gyda digonedd o fanylion, ac yn ôl a ddywed Camino, eich mab chi a Manolo oedd . . .

(*Y mae IDRIS a MANOLO am ymyrryd yn y sgwrs, ond y mae MAIR yn eu hatal, er mai yr hyn a'u rhwystrodd oedd edrychiad gan MERI IFANS*).

MERI IFANS :

Mae'n ddrwg gen i glywed am y gwyliwr nos, ond fe gytunwch â mi nad yw disgrifiad byth yn ddigon . . .

TIRANO :

 Ag eithrio, fel y dywedir yn y pentref, ychydig ohonom ni sydd yma, a phawb yn nabod ei gilydd . . .

MERI IFANS :

 A welodd y gwyliwr wyneb y ddau ymosodwr?

TIRANO :

 Wel, na welodd o mo'u hwyneb, ond . . .

MERI IFANS :

 Dyna chi. Gallai unrhyw ddau fod yn debyg i'r ddau yma, a thwyllo'r gwyliwr.

IDRIS :

 Debyg iawn. Ac mae gynnon ni ddigon o elynion fuasai'n gwneud hynny . . . rhai sy'n adnabyddus fel llofruddion a lladron . . .

TIRANO :

 Wnewch chi eu henwi?

IDRIS :

 Na wnaf. Eich gwaith chi ydi darganfod pwy ydyn nhw.

TIRANO :

 'Rwyt ti felly yn gwrthod rhoi help inni.

IDRIS :

 Ydw. Fe wrthodwn i fradychu hyd yn oed fy ngelyn pennaf.

MANOLO :

 Da iawn, Idris.

TIRANO :

 A wyddoch chi'ch dau fod hynny'n drosedd?

IDRIS :

 Pa ots am hynny. Chewch chi ddim . . .

MERI IFANS :

 Byddwch ddistaw . . (*Wrth TIRANO*) Esgusodwch fi, senor, tydw i ddim yn credu disgrifiad y gwyliwr nos, nid am nad yw'n dweud y gwir, ond am fod cymaint o bobl yn debyg i'w gilydd o ran corff . . . fy mwriad i . . . fy nymuniad i . . . yw eich helpu chi, ac oherwydd hynny gadewch inni geisio egluro'r mater . . . er enghraifft, a ellwch fy sicrhau pa bryd y digwyddodd hyn?

TIRANO :

 Neithiwr, senora.

MERI IFANS :
   Faint oedd hi o'r gloch?
TIRANO :
   Un-ar-ddeg.
MERI IFANS :
   Un-ar-ddeg union?
TIRANO :
   Ie. 'Roedd y gwyliwr yn cofio i'r cloc daro ychydig cyn yr
   ymosodiad. Gallai fod ychydig funudau ar ôl hynny.
MERI IFANS :
   Os felly, senor, 'rych chi i gyd wedi camgymryd . . .
TIRANO :
   Sut y gellwch chi fod mor sicr ein bod i gyd wedi cam-
   gymryd . . .?
MERI IFANS :
   Fe gytunwch, 'rwy'n siwr, fod hyd yn oed tystiolaeth y gwyl-
   iwr o'u plaid, pan ddweda i fod y ddau . . . Idris a Manolo
   . . . yma yn y tŷ neithiwr. Fe wnes i swper iddyn nhw tua naw
   o'r gloch, ac yna bu'r ddau yn sgwrsio ar y feranda 'na. 'Roedd
   gen i waith, gan fynd a dod i'r gegin. Yna, wedi blino, fe
   anfonais y ddau i'w gwelyau tua un-ar-ddeg. Fi fydd yr olaf i
   fynd i gysgu yma bob amser.
TIRANO (yn dal i fod yn amheus, yn arbennig wrth weld y ddau a
gyhuddir yn rhoi arwyddion o gytuno â hi) :
   'Rych chi, senora, yn wraig dda. Ac mae eich gair i mi yn
   ddeddf. Wnes i 'rioed eich amau, ond yn yr achos yma 'roedd
   y profion yn erbyn Idris a Manolo . . .
MERI IFANS :
   Ond fe dystiais i fod fy mab a Manolo yma am un-ar-ddeg
   neithiwr . . . yn cysgu yn y tŷ 'ma . . .
TIRANO (Mae'n petruso beth i'w wneud, gan ei fod yn credu'n sicr
fod IDRIS a MANOLO yn euog, ac eto ni all amau geiriau MERI
IFANS) :
   Do, senora, fe wn i hynny . . .
MERI IFANS :
   Ac felly?
TIRANO :
   Wel, . . . gan mai felly y mae hi . . . (Edrych ar y ddau a

gyhuddodd). Fe geisia i gael rhagor o brofion.

DAFYDD :

Os gallwn ni eich helpu mewn unrhyw ffordd, mi fyddwn yn falch o roi unrhyw . . .

TIRANO (*yn paratoi i fynd allan. Â MERI IFANS i'w hebrwng i'r drws. Etyb yntau eiriau DAFYDD yn awgrymog gan ddal i edrych ar IDRIS a MANOLO*) :

Fydd dim angen am hynny . . .

MAIR :

Pob lwc ichi. (*Y mae TIRANO yn saliwtio yn gwrtais, ac yna'n mynd allan*).

MERI IFANS :

Adios.

TIRANO (*wrth iddo bellhau*) :

Hasta luego . . .

(*Y mae sŵn carlam cyflym yn cyhoeddi fod y swyddog yn pellhau oddi wrth y tŷ. Mae'r lleill yn disgwyl yn bryderus am ymateb MERI IFANS. Daw hithau yn ôl i'r ystafell yn wyllt, a chan sefyll o flaen MANOLO mae'n gweiddi'n orffwyll yn ei wyneb*).

MERI IFANS :

Ti, a thi yn unig, sy'n gyfrifol am y gwarth yma . . .

MANOLO :

Mae'n ddrwg gen i, senora . . .

MERI IFANS :

Mi gei di brofi hynny. Dyma fi, wedi gwadu popeth y bûm yn sefyll drosto, ac wedi dweud anwiredd. Wedi fy niraddio fy hun. Ond 'roedd yn rhaid imi, er mwyn cadw dipyn o enw da i'r tŷ 'ma.

IDRIS :

'Rwy'n ddiolchgar iawn ichi, mam . . .

MERI IFANS :

Cadw dy ddiolch. Mae arna i eisiau iti dorri pob cysylltiad â Manolo a rhai tebyg iddo . . . a hynny yn awr . . .

IDRIS :

Ond mam, mi 'rydw i'n ffrind i Manolo . . .

MANOLO (*gyda dichell cyfrwys*) :

Paid â bod yn bengaled, Idris . . . gad i bethau fod . . .

38

IDRIS :
'Rwy'n addo hynny, mam.

MERI IFANS (sy'n dal i amau) :
A chofia di hyn, Manolo, fod gen i afael arnat ti yn awr.
'Rwyt ti wedi rhoi gallu yn fy llaw i, ac 'rwy'n mynd i'w ddef-
nyddio. Os na chedwi di'n glir oddi wrth Idris, mi fydda i'n dy
roi di yn nwylo'r polîs . . .

MANOLO :
Wnae chi mo hynny?

MERJ IFANS :
Hynny, a llawer yn rhagor . . .

MANOLO :
Yna, mi fydd pawb yn . . .

MERI IFANS :
Pawb yn fy nghanmol i.

MANOLO (yn ysgafn) :
Os rhowch chi fi yn y carchar, mi fydd Idris yno hefo mi.

MAIR :
Manolo!

MERI IFANS :
'Rwyt ti'n fy herio i?

MANOLO :
Nag ydw, senora . . .

MERI IFANS :
Dos, gan wybod y buasai'n well gen i weld Idris yn y carchar
na'i fod o'n cymdeithasu hefo un fel ti.
(Y mae DAFYDD a MAIR yn ceisio ymyrryd, ond y mae
MERI IFANS yn rhoi arwydd iddyn nhw gilio'n ôl. Y mae
MANOLO yn cychwyn allan, yn sicr ohono'i hun ac yn ym-
osodol).

MANOLO :
Meddyliwch dros y mater yn ofalus, senora . . . (Â at ymyl
MAIR, gan edrych i'w hwyneb). Ac os bydd fy angen, dim
ond galw amdana i. (Y mae MAIR yn edrych tua'r llawr. Mae
MANOLO yn mynd allan).

IDRIS (mae'n cofleidio'i fam, ond y mae hi'n dal i edrych tua'r
drws) :
Maddeuwch imi, mam, am eich gorfodi i ddweud celwydd . . .

MERI IFANS :

Y mae adegau weithiau sy'n gorfodi rhywun i ddewis rhwng dau ddrwg. Fe ddewisais i'r lleiaf o ddau ddrwg, ac er gwaethaf pob argyhoeddiad yn y nef a'r ddaear, ni all yr un fam betruso . . .

DISGYN Y LLEN

ACT II

Golygfa 1

Wythnos yn ddiweddarach. Pan gyfyd y llen, daw PEPITA i mewn yn cario bwced, a dechrau sgwrio'r bwrdd. Daw ALONSO i mewn yn slei a gafael ynddi.

ALONSO :

A dyma ble'r wyt ti'r wiwer fach. A minnau'n chwilio amdanat ti ym mhobman.

PEPITA :

I be?

ALONSO :

O, i siarad.

PEPITA :

Rhaid imi fynd ymlaen â'r gwaith 'ma.

ALONSO :

Twt, twt. Gad iddo. Pa ddiben byw i ddim ond gweithio? Mae'r dyfodol i gyd o'th flaen i hynny. Gwrando. Cyfrinach byw, Pepita, byw yn llawn 'rwy'n feddwl : cyfrinach hynny ydi gwneud dim ond yr hyn sydd raid heddiw, a gadael y gweddill i fory.

PEPITA :

Syniad pobol gwlad y manana ydi hwnna.

ALONSO :

Ac me ddweda'i fwy wrthyt ti. Y peth callaf i gyd ydi peidio gwneud dim byd, na heddiw nac yfory. Hynny ydi, dim byd na fydd yn rhoi pleser iti.

PEPITA :

Athroniaeth y paith, ac nid athroniaeth meistres. Clywch, mi fydd yn ein dal ni eto . . .

ALONSO :

'Does arna i mo'i hofn hi weldi.

PEPITA :

Chi ydi'r unig un sy felly. Dyna fo, byhafiwch rŵan . . .

ALONSO :

A wyddost ti pam nad oes gen i ei hofn hi? Am nad oes gen i

dim i'w golli. Be ma'r Cymry 'ma'n ddweud? Diofal yw dim. Y bobol sy'n glynu wrth bethau : arian, arferion, plant, y rhieni sy'n ofni. Byw gan ofni colli rhywbeth o hyd. Ond 'does gen i ddim i'w golli. All y feistres wneud dim gwaeth i mi na fy ngyrru oddi yma. Ac mae'r paith a'r mynyddoedd yn eiddo imi, yr awyr a'r haul, ac mae nhw'n barod i roi croeso imi bob amser. Ychydig iawn ydi anghenion dyn mewn gwirionedd wyddost : dim ond digon o fwyd a thipyn o gysgod a chwmni sydd wrth ei fodd.

PEPITA :

Petai hi yn fy ngyrru i oddi yma, a phetai'r milwyr yn cael gafael ynof fi, wel, mi wyddoch be sy'n digwydd i ferched ifainc . . .

ALONSO :

Gwn, ngeneth-i, gwn. Ond 'does dim eisiau iti dy ladd dy hun efo gwaith. Gweithio! Ach-y-fi! (*Yn gafael ynddi*). Gwranda, Pepita : 'rwyt ti'n gwastraffu dy ieuenctid. Slafio o fore tan nos. Ac yna, pan ei di yn hen . . .

PEPITA :

Ddaw hynny ddim yn fuan, os pery fy ieuengtid i cyn hired â'ch un chi.

ALONSO :

Mi gei di dalu am hynna.

PEPITA :

Gollyngwch fi.

ALONSO :

Dim heb dalu dirwy, neu gosb, sut bynnag yr edrychi arno fo. Dedfryd y llys yw fod yn rhaid i Pepita Ratan dalu dirwy o gusan i Alonso Rodrigues !

PEPITA :

Dim peryg.

ALONSO :

O, 'rwyt ti'n 'u cadw nhw i gyd i Dafydd.

PEPITA :

Ust! Byddwch ddistaw. 'Does neb ond chi yn gwybod am hynny.

ALONSO :

Mwya'n y byd o reswm dros iti dalu'r ddirwy felly.

42

PEPITA :

O! O'r gorau. (*Yn ei gusanu'n sydyn. Yntau'n ei gollwng mewn syndod*).

ALONSO :

Caramba! Que sorpresa! Wnes i ddim disgwyl honna. Que dulce beso, che. Melys fel mêl. Dyna'r tro cynta erioed i mi gael cusan gan ferch ifanc.

PEPITA :

Felly wir.

ALONSO :

Ac yn wir, mae o'n beth reit neis hefyd. Un beso como miel. Rhaid imi chwilio am rywun i roi rhagor imi.

PEPITA :

Beth am Maria Tipona?

ALONSO :

Beth? Honno! Por favor, chica. Heb ddant yn ei phen, a'i chroen fel lledr?

PEPITA :

Wel, dyna Ramona Gillegas ynteu. Mae hi'n ddel.

ALONSO :

Ydi, ac yn wirion fel llo.

PEPITA :

Mae rhywbeth yn annwyl iawn mewn llo.

ALONSO :

Mae gen i eisiau merch sy'n ddel ac yn gall ac yn hawdd ei thrin ac yn . . .

PEPITA :

Angel ynteu gwraig fynnwch chi?

ALONSO :

Dim un ohonyn nhw, a dweud y gwir. Mi fuasai angel yn rhoi 'nghydwybod i ar dân, ac mi fuaswn i'n cael cric yn fy ngwar wrth edrych i fyny ati o hyd. A dyna gymryd gwraig wedyn . . . Mi fuasai hynny'n ormod o fenter. Dyna'r drwg wyt ti'n gweld. Mae rhywun yn syrthio mewn cariad, yna'n priodi, ac wedyn mae'r priodi'n rhoi pen ar y cariad. Er enghraifft, dyna Dafydd a thithau . . .

PEPITA :

Ust! Peidiwch . . .

43

ALONSO :

Pam lai? 'Does neb yn clywed. A 'does gen ti neb arall i'th gynghori. Pam na cha i dy helpu?

PEPITA :

Mae hynny'n wir. 'Rydw i'n poeni'n sobr. Alla i ddim aros yma'n hir eto.

ALONSO :

Na elli. A fedr Dafydd ddim dod gyda thi. Dyna'r gwir ynte?

PEPITA :

Ie. Ac eto, mae llawer un wedi gadael ei deulu a phopeth er mwyn cariad, ac yn hapus wedyn.

ALONSO :

Dim ond tra pery'r cariad.

PEPITA :

Ond ni fuasai'n cariad ni fyth yn darfod.

ALONSO :

Dyna mae pawb a fu mewn cariad wedi ei ddweud erioed, weldi. Ond peth brau iawn ydi cariad. Rhaid ei nyrsio'n ofalus. Rhaid i bawb sy'n priodi syrthio mewn cariad o'r newydd bob rhyw bum mlynedd . . . ond iddyn nhw ofalu syrthio mewn cariad â'r un un bob tro. Risg ofnadwy ydi priodi. Mae na beryg i bawb ar ôl priodi gymryd eu cariad yn ganiataol, ei esgeuluso, ac yna mae o'n gwywo. Ychydig ydi'r rhai sy'n para'n gariadon ar ôl priodi.

PEPITA :

Ond fuasai hynny ddim yn digwydd i Dafydd a minna, oher-, wydd fuasem ni ddim yn priodi, ond byw hefo'n gilydd. Ac mi fuasai Dafydd yn llawer hapusach efo mi nag y mae o yma.

ALONSO :

Mae o mewn argyfwng go fawr weldi. Ar un llaw y mae del-frydau Cymru, a'i ffyddlondeb i'w fam. Ar y llaw arall y mae galwad y paith, yr awydd am ryddid a'i serch atat ti.

PEPITA :

A fedr neb benderfynu drosto fo.

ALONSO :

Na. Dim ond cynghori fedr pobl eraill.

PEPITA :

Be wna i, Alonso?

ALONSO :

Dim, 'ngeneth-i. Dim ond dilyn dy reddfau, a gadael i amser ddatrys y broblem. Mi fydda i'n gweld popeth yn cael ei setlo'n eithaf da mewn bywyd, ond cael digon o amser i hynny. Wyt ti'n gweld . . .

MAIR (*yn dod i mewn gyda brys a braw*) :

Oh! Alonso. Pepita. Mae Idris a Manolo'n dod. Ac mae'n edrych fel petai Idris wedi brifo. Dos i'w cyfarfod, Alonso. (*Â yntau allan*). Dos dithau i'r gegin i nôl dŵr poeth a chadachau, Pepita. Fe wna innau'r gwely'n barod yn y siambar.

(*Cyn i MAIR gyrraedd i'r siambr, gwêl fod y lleill yn nesu at y drws ffrynt agored. Saif yn ansicr beth i'w wneud*).

MAIR :

Oh! Idris. 'Rwyt ti wedi brifo.

IDRIS :

Brifo? Na, dwi'n iawn. Yn hapus iawn, 'rhen gariad.

MAIR :

Meddw ydi o?

MANOLO :

Ie, Mair.

MAIR :

Ond pam y doist ti â fo yma?

MANOLO :

Be arall allwn i wneud? Dyma'i gartre yntê?

MAIR :

Ewch â fo i'r siambar.

IDRIS (*nid yw'n ynfyd o feddw. Y mae ychydig atal ar ei leferydd bloesg*) :

Lle mae hi?

MAIR :

Allan.

IDRIS :

Pryd y daw hi'n ôl?

MAIR :

Unrhyw funud. Dos i'r siambar.

IDRIS :

I beth?

MAIR :

Nes iti sobri.

IDRIS :

'Does gen i ddim eisiau sobri. Mae gen i eisiau dweud rhai pethau wrth hi . . . pethau sydd wedi eu claddu yn fy nghalon i . . .

MAIR :

Idris, dos o'r golwg. Mi gei ddweud wrthi ar ôl iti sobri.

IDRIS :

Ond mi fydd gen i ei hofn hi ar ôl sobri, a methu dweud dim.

MAIR :

Dos . . . er fy mwyn i.

MANOLO :

Ie, tyrd Idris.

IDRIS :

O'r gorau, Manolo. 'Rwyt ti'n ffrind iawn i mi. Ti sy'n gwybod be sy orau bob amser.

MANOLO :

Y ffordd yma. Dyna ti. (*Yn ei arwain i'r siambr, a Pepita yn eu dilyn*).

ALONSO :

Be wnawn ni, Mair?

MAIR :

Wn i ddim. Wn i ddim. Y munud y mae un helynt yn mynd heibio, y mae un arall yn codi. Yn union fel y bydd hi weithiau yn y mynyddoedd yma yn yr haf poeth : storm o fellt a tharanau, yna rhyw awr o dawelwch cyn i storm arall dorri o'r awyr, y naill ar ôl y llall fel tiwn gron. Rhaid paratoi'r war i dderbyn yr ergyd nesa o hyd. Mae byw fel hyn yn . . . (*Daw PEPITA yn ôl*). Ydi o'n iawn, Pepita.

PEPITA :

Ydi, mae o'n gorwedd ar y gwely bach. 'Roedd o'n siarad yn wirion amdano fo a fi. Dweud 'i fod o am ddod yma i fy nôl i am hanner nos heno, ac os na byddwn i'n barod y buasai fo'n fy nhynnu i o 'ngwely. Mi ddois i oddi yno. Efallai y cysgith o.

MANOLO (*yn dod i mewn*) :

Fe'i gadewais o ar y gwely bach yn ei ddillad. Mae o'n mynd i gysgu, 'rwy'n meddwl.

MAIR :

Diolch iti am ofalu amdano fo. Ond mae'n well iti fynd yn awr, cyn i mam ddod yn ôl.

MANOLO :

A gadael i ti wynebu'r storm dy hunan? Dim peryg.

(*Â PEPITA allan i wylio ar y feranda, ac ALONSO i'r siambr*).

MAIR :

Mae gen i ofn.

MANOLO :

Mair, 'dwyt ti ddim yn dechrau siarad am ofn. Wyddost ti, 'rwy'n methu dy ddeall di.

MAIR :

Mae hi wedi mynnu ei ffordd er pan gofiwn ni, ac mae wedi mynd yn ail-natur inni ufuddhau, a hynny mewn ofn.

MANOLO :

Ac mi 'rwyt ti'n ei chasáu hi.

MAIR :

Ydw. Ond wyddost ti, mi fydda i'n tosturio wrthi hi weithiau hefyd. Mae hi wedi colli cymaint. 'Does neb yn ei charu, a dyna'r golled fwyaf y gall neb ei gael mewn bywyd. Ac mi fydd gen i ofn i'r casineb 'ma sy'n fy enaid fy chwerwi innau, fel na bydd neb yn fy ngharu innau chwaith.

MANOLO :

Fe wyddost fy mod i'n dy garu di.

MAIR :

Gwn, Manolo. Ac mi 'rydw innau'n gallu caru hefyd : dy garu di, caru Idris a Dafydd, caru'r eneth Pepita 'na, a'r hen Alonso.

MANOLO :

Tyrd i ffwrdd hefo mi, Mair.

MAIR :

Rhyw ddiwrnod, Manolo. Rhyw ddiwrnod.

PEPITA (*yn dod i mewn*) :

Mae hi'n dod, Mair. Oh ! Mair.

MAIR :

Dos i'r siambar, Manolo. Brysia. Triwch gadw Idris yn ddistaw.

MANOLO :

O'r gorau.

47

(Wedi saib annifyr o ddisgwyl, daw MERI IFANS i mewn, ac mae'n amlwg ei bod wedi ei chynhyrfu).

MERI IFANS :

Lle mae Dafydd?

MAIR :

Allan.

MERI IFANS :

Pwy biau'r ddau geffyl 'na?

MAIR :

Ffrindiau.

MERI IFANS :

Pwy ydyn nhw?

MAIR :

Neb o bwys.

MERI IFANS :

Ateb fy nghwestiwn i. Oes yna ryw reswm pam na cha i wybod?

MAIR :

Dynion diarth wedi dod i brynu anifeiliaid.

MERI IFANS :

Prynu anifeiliaid? Pa anifeiliaid?

MAIR :

Wn i ddim.

DAFYDD *(yn dod i mewn o'r cefn)* :

Hylo, mam. Mi ddaethoch yn ôl?

MERI IFANS :

Do, a dim yn rhy fuan ddyliwn. Be 'di'r holl ddirgelwch 'ma?

DAFYDD :

Dirgelwch?

MERI IFANS :

Y munud y trof fy nghefn . . . Ble mae'r ddau ddyn 'na?

DAFYDD :

Dau ddyn?

MERI IFANS :

Y ddau biau'r ceffylau 'na . . . y ffrynt.

DAFYDD :

Wn i ddim.

MERI IFANS :

Beth wyt ti wedi ei werthu iddyn nhw?

DAFYDD :

Gwerthu? Tydw i ddim wedi gwerthu dim byd.

MERI IFANS :

Dafydd!

MAIR :

Mae o'n dweud y gwir. Welodd o neb.

MERI IFANS :

O? Ac mae 'mhlant i'n gelwyddog hefyd, ydyn nhw? Gwran-
dewch eich dau, mae gen i eisiau siarad hefo chi. Eisteddwch.
Fe wyddoch mor werthfawr ydi'r lle 'ma yn fy ngolwg i : y tŷ
a'r fferm a phopeth. Fe dreuliais fy mlynyddoedd gorau er eu
mwyn. Wedi colli'ch tad . . . ymdrechu fy hunan . . . a gor-
ffen y lle fel y buo fo a minnau'n breuddwydio iddo fod. A'r
cwbl er eich mwyn chi.

DAFYDD :

Fe wyddom hynny, mam, ac 'rydan ni'n ddiolchgar.

MERI IFANS :

Mae'n amheus gen i a wyt ti hyd yn oed, Dafydd, yn syl-
weddoli ei werth. Wel, mae 'na bosibilrwydd rŵan y collwn ni
o.

DAFYDD :

Beth? Colli'r Gwyndy? Ond . . .

MERI IFANS :

Ie, colli'r Gwyndy, Dafydd. Fel y gwyddoch chi, 'does dim
gweithredoedd wedi eu rhoi inni eto ar y tiroedd yma.

DAFYDD :

Ond fe ddaw'r rheini ymhen amser. Mae'r un peth yn wir am
eiddo'r Cymry eraill sydd yma. Mae'r twrneiod yn hir gyda'u
gwaith, ond . . .

MERI IFANS :

Mae un o'r twrneiod yn hawlio'r lle . . .

DAFYDD :

Ar ba sail?

MERI IFANS :

Efo'r twrne y bûm i y pnawn 'ma. Mae o'n dweud fod ganddo
wybodaeth a phrofion a all roi un ohonom ni yn y carchar am

49

ei oes, os rhwystrwn ni o i feddiannu'r lle yma.

DAFYDD :

Idris . . .

MERI IFANS :

Tydw i'n enwi neb : dim ond ceisio egluro ichi beth mae'r lle
'ma yn ei olygu i mi, a pham yr ydw i'n ceisio'ch cadw chi
rhag cymysgu gyda rhai fel Manolo.

DAFYDD :

Mae'n ddrwg gen i glywed hyn . . . Mae hi'n ergyd drom ichi,
mam.

MERI IFANS :

Ydi, mae hi'n ergyd drom . . . Ac eto'i gyd, nid colli'r ffarm
sy'n fy mhoeni i fwyaf, oherwydd mae'r Gwyndy'n golygu
mwy na meddiannau a thiroedd i mi. Mi ges i fy magu yng
Nghymru mewn tlodi a than ormes. Byw yn galed. Efallai i
haearn y dioddef hwnnw fynd i 'ngwaed i. Ond hyd yn oed
yno, er gwaethaf y tlodi a'r gormes, yr oeddym ni'n glynu wrth
yr hen draddodiadau. Yr unig ddrws dihangfa oedd ymfudo
i'r Unol Daleithiau, ond golygai hynny y byddai'n rhaid i'n
plant ymdoddi i ffordd estron o fyw, a cholli'r hen ddelfrydau.
Yna daeth y weledigaeth. Taniwyd ni gan Michael D. Jones
ac eraill i ddod yma, i godi Cymru newydd. Gwlad lle byddai'n
iaith ni'n ffynnu. Dim gormes. Dim erledigaeth. Gwlad rydd
lle byddai addysg a chrefydd y Cymry, fel yr iaith, yn treiddio
trwyddi ac yn ei hachub i'n ffordd ni o fyw. Ac i mi, y mae
cadw'r ffordd Gymraeg o fyw . . . mae cadw hynny yn
cyfiawnhau'r holl aberth a'r holl ddioddef.

MAIR :

Ond all y weledigaeth yna ddim golygu yr un peth i ni sydd
wedi ein magu yma.

MERI IFANS :

Dyna'r trychineb. Un genhedlaeth yn adeiladu rhywbeth
gwych, a'r genhedlaeth nesaf yn ei ddibrisio.

MAIR :

Ond os ydi'r breuddwyd wedi ei sylweddoli i'r rhai a fu'n
breuddwydio, yna mae popeth yn iawn.

MERI IFANS :

'Does neb yn wynebu peryglon fel yna er ei fwyn ei hunan yn

unig : mae o am i'r cwbl barhau. Nid y tŷ yma a'r ffarm ydi'ch etifeddiaeth chi, ond holl gyfoeth traddodiad Cymru. A gweld fy mhlant yn colli hwnnw sy'n boen i mi. Mae'n rhaid ichi . . .

IDRIS (*yn y siambr*) :

Be sy'n bod? O ia, ydi hi wedi cyrraedd bellach? Rhaid imi gael gair hefo hi. Gad imi fynd, Manolo. Gollwng fi, Alonso, neu mi . . . (*Daw i mewn, a MANOLO ac ALONSO yn ei ddilyn*). Hylo !

MERI IFANS :

Idris ! Be sy . . . Yn feddw? O na !

IDRIS :

Ie, yn feddw. Ac yn hapus am unwaith.

(*Daw PEPITA i mewn o'r cefn, a saif yn ofnus wrth y drws*).

MERI IFANS :

Dy waith di ydi hyn, Manolo.

MANOLO :

Nage. Digwydd mynd heibio i Dafarn Torres wnes i, a gweld Idris yn gorwedd y tu allan.

MERI IFANS :

Wyt ti'n disgwyl imi gredu stori fel yna?

MAIR :

Mae o''n dweud y gwir, mam.

MERI IFANS :

Sut y gwyddost ti? Nid dy le di ydi amddiffyn dyhiryn fel hwn.

MAIR :

Nid dyhiryn mohono.

IDRIS :

Wyddech chi ddim fod y ddau yma mewn cariad.

MERI IFANS :

Taw !

IDRIS :

Ydyn, mewn cariad mawr. 'Rydw i wedi yfed digon i lacio 'nhafod, welwch chi, a dweud y gwir am dro . . .

MERI IFANS :

Ydi hyn yn wir, Mair?

MAIR :

Ydi. 'Rwy'n caru Manolo.

51

MERI IFANS :

Caru? Wyddost-ti mo'i ystyr o. Nwyd efallai . . . neu wall-gofrwydd.

MAIR :

'Rydach chi'n credu na all neb brofi cariad ond pobol rispec-tabl.

MERI IFANS :

Siarad efo dy fam yr wyt ti!

IDRIS :

Fuo chi 'rioed yn fam ini, da'ch chi'n gweld. Chawson ni 'rioed brofi cariad mam. Dim anwylo. Dim mwytho arnon ni pan oeddan ni'n fychan. Fedra i mo'ch cofio chi yn rhoi cusan imi. Pan oeddan ni'n blant bach, nid ein denu ni â chariad fyddech chi, ond ein bygwth ni â thân mawr, neu â bwganod neu sipsiwn. Wedyn bygwth dweud wrth y sgwlyn neu'r gweinidog.

MERI IFANS :

Oes gen ti ddim parch o gwbl?

IDRIS :

Dyna'r unig beth sy'n bwysig yntê? Bod yn barchus. Be ddywed pobol? Beth petai hon-a-hon yn dod i wybod? Dyna ydi crefydd yntê : parchusrwydd.

DAFYDD :

Dyna ddigon, Idris.

IDRIS :

O'r gorau, Dafydd. Mae gen i un peth arall i'w ddweud, ac fe dawaf wedyn. Wyddoch chi be 'dw'n ei gredu? Credu mai parchusrwydd a balchter sydd wedi difetha pawb ohono ni. Wedi troi'r tŷ 'ma'n amgueddfa yn lle yn gartref : amgueddfa o bethau gwlad a chenhedlaeth arall. Wedi peri inni gasáu byw yma.

MERI IFANS :

Petai dy dad yn fyw . . .

IDRIS :

Nhad druan, y creadur truan, mor ufudd a gwasaidd, wedi byw dan eich bawd chi . . . ond fe ddaeth angau i'w ryddhau o o'ch gafael chi. (*Yn chwerthin yn ynfyd*).

Mae carcharorion angau

Yn dianc o'u cadwynau.

DAFYDD :

Idris! Os na thewi di, mi'th orfoda i di. (*Yn mynd i'w daro*).

MAIR :

Na, paid, Dafydd. Ddaw dim daioni o hynny.

DAFYDD :

Mae'n rhaid iddo fo ymddiheuro.

MERI IFANS :

Na hidia am hynny. Tydw *i* ddim yn bwysig bellach. *Chi* sy'n
bwysig yn awr. Gwrando, Idris : 'dwyt ti ddim yn gyfrifol am
yr hyn a ddywedaist ti. Y ddiod oedd yn siarad, nid fy mach-
gen i.

IDRIS :

Na. Fûm i 'rioed fwy o ddifri. Da chi wedi clywed y gwir o'r
diwedd. Mi fûm i'n ysu am ei ddweud ers talwm.

MERI IFANS :

Gad inni fod yn ffrindiau.

IDRIS :

Na, mae'n rhy hwyr i hynny. 'Rwy'n mynd. (*Saib. Yna â allan
gan chwerthin a gweiddi*). 'Rwy'n rhydd! Mi 'rydw i'n rhydd!

MANOLO (*yn estyn ei law i MAIR, ac yn dweud yn dawel*) :

Tyrd dithau, Mair.

MERI IFANS :

Na, Mair : paid â mynd. Mi newidia i. Fe gei di fwy o
ryddid . . .

MAIR :

Na, mae'n rhy hwyr. Ellwch chi ddim newid bellach. Mae hi'n
rhy hwyr.

DAFYDD :

Ystyria be wyt ti'n 'i wneud, Mair. Paid ag achosi mwy o rwyg
yn y cartre 'ma.

Mae'r rhwyg wedi ei achosi ers talwm. Mae'n rhaid imi fynd
efo Idris a Manolo . . . mae arnyn-nhw fy angen i . . . ac mi
'rydw i'n caru'r ddau. (*Edrychwch yn betrus ar ei mam, sydd
erbyn hyn yn eistedd yn grynedig yn y gadair a'i dwylo dros ei
hwyneb. Try MAIR i edrych ar MANOLO, estyn ei llaw iddo,
ac ânt allan yn araf*).

MERI IFANS (*yn codi ei phen wedi i sŵn y lleill ddiflannu, ac yn
edrych o'i chwmpas yn syn*) :

53

Ma nhw wedi mynd.

DAFYDD :

Ydyn, mam. (*Â MERI IFANS i'r siambr. Daw PEPITA ar draws yr ystafell at DAFYDD, yna saif wrth weld y gofid yn ei lygaid*). Pam nad êst dithau efo Idris?

DISGYN Y LLEN

ACT II

Golygfa 2

Ganol nos yr un diwrnod. Daw goleuni'r lloer drwy'r ffenestr i oleuo'r ystafell. Dim i'w glywed ond sŵn tipiadau yr hen gloc mawr. Egyr y drws ar y dde, a daw Pepita i mewn yn ddistaw. Y mae ganddi barsel o ddillad yn ei llaw, a gedy hwnnw ar y bwrdd. Â at y drws ar y chwith, ei agor yn ofalus a mynd drwyddo. Pan ddychwel y mae wedi gwisgo ei mantell, ac yn rhwymo crafat sidan am ei phen. Gafael yn y pecyn, ond pan ar gychwyn at y drws canol, saif i wrando. Gwelir ffurf dyn tu hwnt i'r ffenestr. Ymguddia hi rhag iddo'i gweld. Llwydda yntau i agor y ffenestr, a daw i mewn drwyddi.

PEPITA (*yn sibrwd o'r cysgod*) :

Idris?

IDRIS :

Ie. Lle mae'r lleill?

PEPITA :

Yn cysgu. (*Daw at ei ymyl*).

IDRIS :

Ust! (*Y mae'n cau'r ffenestr yn ofalus, yna'n cau'r drws ar y chwith. Daw yn ôl gan siarad yn fwy hyglyw*). 'Rwyt ti wedi gwisgo. Wnes i ddim meddwl y buaset ti'n dod chwaith.

PEPITA :

Fe ddwedaist wrtha i am fod yn barod am hanner nos. 'Roeddet ti'n feddw. 'Doedd dim modd siarad â thi. Dwy' ddim yn dod hefo ti, Idris. Ble mae Mair a Manolo?

IDRIS :

Ar eu ffordd i'r mynyddoedd. Teithio'n araf. Fe'u daliwn ni nhw cyn y wawr.

PEPITA :

Mi 'rydw i'n mynd oddi yma—ond yn mynd fy hunan—ac at y llwyth.

IDRIS :

Mae'n well iti ddod hefo ni. Mi fydd yn saffach i ti'n un peth. Fe ddylet fod wedi dod hefo mi ers talwm : fe grefais i ddigon arnat ti.

PEPITA :

Do. Allwn i ddim.

IDRIS :

Ond mi fedri heno. Dyma dy gyfle i ddianc.

PEPITA :

Idris, alla i ddim dod i fyw hefo ti yn y mynyddoedd.

IDRIS :

Ond pam? Fe goda i gaban clyd iti, ac fe wnawn gartref hapus. Fe wyddost 'mod i'n dy garu di . . . ac yn dy garu'n fwy heno nag erioed.

PEPITA :

Gwn, Idris. Ac 'rwy'n teimlo'n euog oherwydd hynny.

IDRIS :

Euog? Pam?

PEPITA :

Am imi dy ddenu di. Pan ddois i yma gyntaf, fe wnes i fy ngorau i ennill dy galon : siarad yn glên, rhedeg i dendio arnat ti, dy ddenu ym mhob ryw ffordd.

IDRIS :

A chest ti fawr o drafferth chwaith. 'Roeddwn i dros fy mhen a'm clustiau mewn cariad â thi yn fuan iawn.

PEPITA :

Oeddit. Ond ddylwn i ddim fod wedi dy ddenu di. Peth peryglys i gellwair hefo fo ydi serch. Ond 'roeddwn i'n ifanc a difeddwl.

IDRIS :

Ond pam gofidio am hynny?

PEPITA :

'Roeddwn i ar fai. Mi fûm i'n anonest ac yn anhêg. Ennill dy serch, a methu rhoi dim yn ôl iti. Petawn i wedi syrthio mewn cariad â thi, mi fuasai popeth yn iawn. Gallem fod wedi mynd oddi yma, a fuaset ti ddim yn y trybini yr wyt ti ynddo heno.

IDRIS :

Ond y mae genti rywfaint i'w ddweud wrtha i?

PEPITA :

Oes. Llawer iawn, Idris. 'Rwy'n hoff iawn ohonot ti, ond dim cariad.

56

IDRIS :

Dafydd?

PEPITA :

Ie. Mae'n iawn iti wybod y gwir. Freuddwydiais i ddim y
buaswn i'n syrthio mewn cariad ag o. Wnes i 'rioed ddymuno
hynny chwaith. Ond dyna . . . 'does dim rheoli ar serch. Ar
ryw ystyr, hap a damwain ydi syrthio mewn cariad. Mae
serch fel angau, yn creu mwy o broblemau nag a setlir ganddo.
Un blêr ydi o.

IDRIS :

Ie, blêr. Peri i ryw ddau o hyd syrthio mewn cariad â'i gilydd,
heb fod bgobaith hapusrwydd rhyngddyn nhw o'r cychwyn.

PEPITA :

Mi fuasai Dafydd a minnau'n hapus, petai o mewn cariad
hefo mi.

IDRIS :

Ond 'rydych chi mor wahanol i'ch gilydd? Ti, mor llawen.
Yntau'n ddifri. Ti yn caru rhyddid, ac yntau mor glwm wrth
ei waith. Mae gen i feddwl y byd o Dafydd, er ein bod ni mor
wahanol, ond mae'n rhaid iti gydnabod ei fod yn llwfr. Onibai
am hynny mi fuasai wedi torri'n rhydd ers talwm.

PEPITA :

Na, cryf ydi o. Digon cryf i ddioddef. Ac efallai mai gweld
hynny a wnaeth imi syrthio mewn cariad ag o yn y dechrau.
Y mae yna lawer ffordd o syrthio mewn cariad wyddost.
'Roeddwn i yn ei barchu. 'Roeddwn i'n ei edmygu'n fwy na
neb. Ac fe arweiniodd hynny i gariad tuag ato. Mae o cymaint
gwell na mi. Yr unig beth sy'n bodloni ambell ferch yw cael
caru rhywun sydd yn well na hi ei hun.

IDRIS :

Diolch yn fawr.

PEPITA :

Tydw i ddim eisiau dy frifo di, Idris. Mi wn i dy fod dithau'n
ffyddlon i'th ffrindiau, ond mae Dafydd yn wahanol. Mae o
mor bwyllog, mor amyneddgar, mor deg. Mi fydd yn hir yn
penderfynu ar ei lwybr, ond unwaith y bydd o wedi ei ddewis,
fydd yna ddim troi'n ôl wedyn.

57

IDRIS :

Styfnigrwydd.

PEPITA :

Ie, efallai. Ond styfnigrwydd dros yr hyn y cred o sy'n iawn. Styfnigrwydd y gellir ymddiried ynddo.

IDRIS :

Ac mae wedi dewis ei lwybr. Fe erys yma'n barchus a chysurus. Fydd dim lle i ti yn ei fywyd bellach.

PEPITA :

Na fydd, mi wn. Dyna pam yr ydw i wedi penderfynu mynd oddi yma.

IDRIS :

Pam na chymeri di un cam ymhellach, a dewis dod hefo mi?

PEPITA :

Am fod gen i ofn. Nid ofni byw'n beryglus. Nid ofni i ti fy siomi chwaith. Ond ofni i mi dy siomi di. Mi fuaswn i'n falch iawn pe gallwn dy garu, ond heb hynny, wnawn i ddim ond dy siomi.

IDRIS :

'Rwy'n barod i fentro hynny. Mi fydd fy nghariad i yn ddigon.

PEPITA :

Na,' bargen wael fydd hi iti. Mae'n ormod o fenter. Rhaid i'r cariad fod o'r ddeutu i ddal straen y blynyddoedd a'r cynefindra o gyd-fyw.

IDRIS :

Ond fe ddeuet tithau i'm caru innau ymhen amser.

PEPITA :

I'th hoffi : dim byth i'th garu. Mi wn i yn hollol siwr pwy fedra i garu. Ond mae gen i awgrym. Beth petaet ti a Mair a Manolo yn dod i fyw gyda'r llwyth?

IDRIS :

Pepita, mi fuasai hynny'n wych. Fe gawn dy gwmni bob dydd wedyn.

PEPITA :

Fe gaech groeso iawn yno, a gallech fod o help i'r llwyth. Ust ! Mae rhywun yn dod. (*Ciliant i'r cysgod. Egyr y drws ar y dde, a daw goleuni drwyddo. Ymddengys Meri Ifans â channwyll yn ei llaw. Erys am rai eiliadau i wrando*).

MERI IFANS :

Pwy sy 'ma? (*Symud at y gornel dywyll, a dal y gannwyll uwch ei phen*). O, ti sy 'ma, Idris? Fe ddoist yn ôl?

IDRIS :

Do, fe ddois yn ôl.

MERI IFANS :

Mae'n dda iawn gen i am hynny. (*Yn chwyrn*). Ond beth wyt ti'n wneud yma, Pepita? Dos yn ôl i'th wely ar unwaith. Ond . . . pam yr ydach chi hefo'ch gilydd?

IDRIS :

Mam . . . Dod yma wnes i i fynd â Pepita oddi yma.

MERI IFANS :

Pepita?

IDRIS :

Ie. I fyw hefo mi.

MERI IFANS :

Mi wela i. Hi a ddechreuodd dy lygru di. Dylanwad anwariad . . . A minnau wedi rhoi cartref da iddi hi, a gwneud fy ngorau i'w gwareiddio hi. Yn lle hynny, 'rwyt ti am fynd hefo hi i fyw'n wyllt yn y mynyddoedd 'na. Mab i mi yn byw gyda morwyn o Indiad.

IDRIS :

Na, wnaiff hynny ddim digwydd. Tydi hi ddim yn fy ngharu i.

MERI IFANS :

Ddim yn dy garu . . .?

IDRIS :

Ac mae hi'n gwrthod dod i fyw hefo mi.

MERI IFANS :

Ond fe ofynnaist iddi . . . Fe ofynnaist . . . Sut y gallet ti feddwl am fyw hefo un fel hi? 'Dwi ddim yn deall . . .

IDRIS :

Mae 'na lawer o bethau nad ydach chi ddim yn eu deall, ond mae'n iawn ichi gael gwybod un peth . . .

PEPITA :

Na, paid, Idris . . . paid â dweud.

IDRIS :

Mae'n rhaid imi. Mae'n rhaid imi d'amddiffyn di.

59

PEPITA :

Na hidia amdana i. Meddwl am rhywun arall.

MERI IFANS :

Rhywun arall?

IDRIS :

Ie, rhywun y mae hi *yn* ei garu . . . Dafydd.

MERI IFANS :

Dafydd? Ond . . .

IDRIS :

Ie, Dafydd. Ac mae Pepita'n mynd rhag ei demtio yntau i'ch gadael chi. Mynd er mwyn Dafydd y mae hi . . . ac er eich mwyn chi.

MERI IFANS :

Llygru Dafydd hefyd. A dyna dy fwriad di? Cymryd mantais ar y derbyniad gest ti yma i ddifetha'i fywyd yntau. Ond chei di ddim . . . Mi fydd Dafydd yn ffyddlon i mi. Ac fe arhosi dithau yma, Idris.

IDRIS :

Na wnaf, Mam. Fedra i ddim. Mae'n ddrwg gen i imi'ch brifo chi pnawn 'ma.

MERI IFANS :

'Doeddet ti ddim yn gyfrifol . . .

IDRIS :

'Roeddwn i'n feddw, ond fe wnaeth les imi gael dweud y cwbl. 'Roedd o fel baich arna i ers blynyddoedd. Mi 'rydw i wedi sobri'n awr, ac yn gweld pethau'n gliriach. Ac 'rwy'n hollol sicr na alla i ddim aros yma eto.

MERI IFANS :

Ond pam? Fe gawn ail-ddechrau eto . . .

IDRIS :

Na, mae'r paith 'na a'i ryddid yn rhy gryf imi. Ches i 'rioed ddewis drosof fy hun o'r blaen. 'Rwy'n rhydd am y tro cyntaf yn fy mywyd. Ac am y tro cyntaf yn fy mywd 'rwy'n teimlo'n garedig tuag atoch chi. Ond mae'n rhy hwyr 1 ail-ddechrau eto.

MERI IFANS :

Rhy hwyr?

IDRIS :

Ydi. Petawn i'n aros yn awr, gwneud hynny er eich mwyn chi
fuaswn i. A byw twyll fyddai'r cwbl. Fedrwch *chi* ddim newid.
Fedra innau ddim chwaith. Mae Cymru'n rhy gryf i chi, ac
mae'r paith yn rhy gryf i minnau. Da bo chi, Mam. (*Daw Idris
ati, a'i chusanu. Yna â allan*).

MERI IFANS (*yn troi ar Pepita*) : Dos o 'ngolwg i. Dos o'r tŷ 'ma.
Dos ! (*Cilia Pepita rhagddi mewn ofn a brysio allan*).

DISGYN Y LLEN

ACT III

Chwe mis yn ddiweddarach. Nos o aeaf. Sŵn storm oddi allan. Eistedd Meri Ifans, a rhyw olwg pell a dieithr yn ei llygaid. Daw Alonso i roi coed ar y tân. Cyn mynd allan, try i edrych arni mewn penbleth am eiliad neu ddau. Pan ddaw Dafydd i mewn, nid yw ei fam yn sylwi arno, er i'r storm ei wthio trwy'r drws. Edrych yntau arni'n bryderus. Â at y bwrdd a chodi fflam y lamp olew. Tyn ei gôt uchaf wleb oddi amdano. Daw at y tân.

DAFYDD :

'Rargian, dyma dywydd. *(Dim ateb)*. Be sy'n bod, Mam? 'Rydach chi'n edrych yn . . . Be sy'n bod?

MERI IFANS :

Dim byd.

DAFYDD :

Ydach chi'n wael?

MERI IFANS :

Dim ond gwael fy nghalon . . . a fy meddwl.

DAFYDD :

Mi fûm i lawr yn y pentre.

MERI IFANS :

O !

DAFYDD :

'Doedd fawr neb o gwmpas. Pawb yn cadw i mewn ar y tywydd oer 'ma.

MERI IFANS :

Ie?

DAFYDD :

'Roedd 'na stori fod y gwylliaid wedi ymosod ar y banc yn Santa Cruz neithiwr. Wedi dwyn rhai miloedd. Ond fe ddaeth y polîs a'r milwyr allan.

MERI IFANS :

Felly? Dalwyd nhw?

DAFYDD :

Dau neu dri. Ac fe saethwyd un neu ddau wrth iddyn-nhw groesi afon Lewffw.

MERI IFANS :

Mae'r wlad 'ma'n mynd yn hollol anwaraidd.

62

DAFYDD :

'Roedd 'na sôn fod Manolo'n un o'r criw.

MERI IFANS :

O? Oedd o? Y cnaf.

DAFYDD :

Ond beth am Mair?

MERI IFANS :

Hi ddewisodd ei ddilyn.

DAFYDD :

Os ydi Manolo wedi ei ladd, efallai y daw hi'n ôl yma . . .
adref yn ôl.

MERI IFANS :

Fydd dim croeso iddi hi. Mae hi wedi gwneud gormod o sôn
amdani ei hun : byw yn y llaid hefo bandit!

DAFYDD :

Efallai fod Idris hefo'r criw hefyd.

MERI IFANS :

Be 'dwi wedi wneud i haeddu hyn? Fy mhlant yn troi'n warth
imi. Cyfrifoldeb ofnadwy ydi dwyn plant i'r byd 'ma : mae 'na
gymaint yn cael ei drosglwyddo ymlaen trwyddyn nhw, er da
neu er drwg. Mi wnes i fy ngorau, ag i beth?

DAFYDD :

Peidiwch â gofidio am hynny rŵan, Mam.

MERI IFANS :

Onibai amdanat ti, mi fuaswn i wedi mynd o'm co ers talwm.
'Does gen i ddim ar ôl yn awr ond ti, a'r tŷ a'r dodrefn 'ma
. . . Ym mhle 'rydw'i wedi methu?

DAFYDD :

Pan oeddych chi'n ifainc, 'roedd eich safonau'n rhai sefydlog.
'Roedd eich dull o feddwl ac o deimlo yn tarddu o'ch parch
i grefydd. Ac fe gymerwyd hynny i gyd yn ganiataol, nes i
bobl gredu y buasai esiampl dda yn diogelu parhad y tradd-
odiad. Ond mae pethau wedi newid erbyn hyn. Mae'r safonau
wedi newid. Ac mae dylanwadau'r wlad newydd yma mor
gryf.

MERI IFANS :

Ond tydi hynny ddim yn esbonio nac yn cyfiawnhau fy
methiant i.

DAFYDD :

Ers talwm, digon oedd dweud : "Paid â gwneud hyn, neu paid
â gwneud y peth arall." Ond mae'n rhaid i'r cymhelliad i
ddaioni darddu o'r galon. Fe luniwyd y deg gorchymyn i atal
dyn rhag ei ddinistrio'i hun, ac mae nhw wedi cael eu torri
byth oddi ar hynny. Llefarwyd y Bregeth ar y Mynydd, nid i
osod amodau i ddaioni, ond i ddisgrifio canlyniadau bod yn
dda, ac i *ddenu* pobl i fod yn dda.

MERI IFANS :

Mi 'rydw i'n falch o'th glywed yn siarad fel yna. Mi fûm i'n
meddwl lawer gwaith mai pregethwr ddylet ti fod. 'Rwyt ti'n
debyg i'r dynion da rheini yng Nghymru. Dos yn bregethwr,
Dafydd, er mwyn dod ag enw da yn ôl i'r tŷ 'ma.

DAFYDD :

Petawn i'n pregethu, pa safonau a osodwn i ddynion? Mae
safonau moes yn newid o wlad i wlad, ac o oes i oes.

MERI IFANS :

Mae'r efengyl yn aros yr un, Dafydd.

DAFYDD :

Ac yn dysgu fod pob enaid yn werthfawr, pwy bynnag ydyn
nhw, neu beth bynnag a wnaethon nhw. A pheth arall, mae'r
efengyl yn dysgu hefyd mai cariad yw'r unig beth sy'n bwysig.
Y cariad hwnnw sy'n bwrw allan ofn. Ac os ca i fod yn greulon
o onest, Mam, 'roeddych chi yn ein caru efallai, ond yn yr
hen ddull, gan geisio'n gorfodi ni trwy ofn. Cariad creulon
oedd o . . .

MERI IFANS :

'Rwyt tithau'n gweld bai arna i? Beth arall allwn i ei wneud?

DAFYDD :

Maddau a pherswadio . . . a'n cymryd ni fel yr oeddym.

MERI IFANS :

Weli di'r llythyr 'na?

DAFYDD :

O'r Hen Wlad.

MERI IFANS :

Ie, y bore 'ma. Oddi wrth Dafydd, Tŷ'n Celyn.

DAFYDD :

'Roeddych chi'n dipyn o ffrindiau, ond oeddych, iddo fo ddal i sgwennu fel hyn?

MERI IFANS :

Mae o'n sôn am yr hen ardal . . . dim wedi newid fawr . . . y pistyll wrth yr hen dŷ yn dal i ganu, medde fo. Mae o eisiau imi fynd yn ôl i Gymru.

DAFYDD :

Wel, mi fuasai'n lles ichi fynd yno am dro . . . am ryw chwe mis . . . gweld eich hen ffrindiau, a . . . Pam nad ewch chi?

MERI IFANS :

Alla'i ddim.

DAFYDD :

Ond pam? Fe ofala i am y Gwyndy.

MERI IFANS :

Wyt ti am i mi wadu popeth y bûm i'n ymladd drosto? Gweld y cwbl yn mynd yn ofer? Mi ges i fy nysgu i orchfygu amgylch-iadau. Dyna sy'n rhoi rhuddin mewn cymeriad. Fel y storm sy'n peri i dderwen wreiddio'n ddyfnach.

DAFYDD :

Ond mae'n ddoeth plygu weithiau. Fuasai derw Cymru'n dal dim yn erbyn stormydd Pampero'r wlad yma. Ond mae'r popylys yn ddigon ystwyth i wyro dan y storm ac unioni wedyn.

MERI IFANS (gyda'i hen bendantrwydd) :

Na. Gwendid yw plygu. Dyna pam mae'r genhedlaeth yma mor ddi-asgwrn-cefn : yn wan a moethus, ac yn . . . (Sŵn y tu allan).

DAFYDD :

Pwy sy 'na ar noson fel hon, tybed? (Â at y drws a'i agor). O? Chi, Teniente Adelante.

TIRANO :

Buenas noches, Senora. Perdoneme. Mae'n ddrwg gen i dorri ar draws eich aelwyd fel hyn, ond pan mae dyletswydd yn galw . . .

DAFYDD :

Popeth yn iawn.

TIRANO :

Mae'r gwylliaid wedi ymosod ar y banc yn Santa Cruz.

65

DAFYDD :

Fe glywais hynny.

TIRANO :

Daliwyd rhai ohonyn nhw, ac mae eraill wedi eu lladd . . .

DAFYDD :

Ewch ymlaen.

TIRANO :

'Roedd eich mab a'i ffrind hefo nhw. Rhaid imi gael eich caniatâd i chwilio'r tŷ y tro yma.

MERI IFANS :

Tydyn nhw ddim yma.

TIRANO :

P'run bynnag, rhaid chwilio.

Fe welwyd o leiaf un ohonyn nhw'n ffoi tuag yma. Mae fy nynion i rŵan yn amgylchu'r tŷ.

MERI IFANS :

'Rydych yn amau fy ngair i?

(*Egyr y drws, a daw MAIR i mewn, yn llwyd a lluddedig*).

DAFYDD :

Mair! Fe ddoist yn ôl.

MAIR :

Do. Mi ddois yn ôl.

DAFYDD :

Mae'n dda dy weld di. Tyrd at y tân i gnesu. 'Rwyt ti'n wlyb diferol.

MERI IFANS :

Be gyrrodd di'n ôl?

MAIR :

'Does gen i unman arall i fynd iddo.

MERI IFANS :

Ac yn disgwyl croeso yma, mae'n debyg.

MAIR :

Ie, Mam. Croeso i ferch afradlon.

MERI IFANS :

Ar ôl tynnu'r holl warth ar y tŷ 'ma?

DAFYDD :

Peidiwch â bod yn galed, Mam.

MERI IFANS :

I arbed ei theimladau hi? Faint a feddyliodd hi amdana i?
Mae rhaid i *ti,* fel pawb arall dderbyn cyflog dy bechod . . .

DAFYDD :

Mam! Peidiwch â dweud peth fel yna. Paid â chymryd sylw
o hyn, Mair. Mae'r holl helyntion 'ma wedi effeithio arni
wyddost.

MERI IFANS :

Wyt ti'n meiddio cymryd ei hochr hi?

DAFYDD :

Mae hi'n chwaer imi. A da chi, rhowch gyfle i'ch greddfau fel
Mam.

MERI IFANS :

Greddfau Mam! Rhaid i blant fod yn deilwng o gariad.

DAFYDD :

Manolo . . . ble mae o?

MAIR :

Wn i ddim.

MERI IFANS :

Mae o wedi'th dwyllo a gadael iti gymryd dy siawns.

MAIR :

Nid o'i fodd.

MERI IFANS :

Nid o'i fodd? Paid â bod mor ddiniwed. Wedi cael ei bleser,
mae o'n dy luchio o'r neilltu . . .

TIRANO :

Esgusodwch fi. A yw hyn yn golygu na wyddoch ym mhle y
mae o?

MAIR :

Ydi.

TIRANO :

Ond fe'i gwelwyd yn carlamu tuag yma.

MAIR :

Fy ngweld i wnaethon nhw. Fi oedd yn carlamu tuag yma.

TIRANO :

Os felly y mae o allan o hyd.

DAFYDD :

Gellwch fod yn sicr nad oes neb ond ni yma.

TIRANO :

Comprendo. Adios. (*Â allan*).

DAFYDD :

Rhowch groeso i Mair.

MERI IFANS :

Ei di ar dy lw y newidi di, ac na weli di mo'r Manolo 'na eto?

MAIR :

Alla i ddim addo hynny. Alla i ddim. Ydi cariad yn golygu rhywbeth ichi?

MERI IFANS :

Be wyddoch chi am gariad? Nwydau, a dim arall. Mae o wedi dangos eisoes be mae o'n ei feddwl ohonot ti.

MAIR :

'Rwy'n caru Manolo . . . tad y plentyn 'rwy'n ei gario.

MERI IFANS :

Plentyn !

MAIR :

Ie, ac 'rwy'n falch o hynny.

MERI IFANS :

Ac mae gen ti ddigon o wyneb i ddod yn ôl i eni dy blentyn yma?

DAFYDD :

Mae'n ddyletswydd arno ni fel Cristnogion ei helpu hi.

MERI IFANS :

Felly wir. Y peth cyntaf fydd yn digwydd iddi hi fydd cael ei thorri allan o'r seiat. Ac os dyna ddyletswydd yr eglwys, fy nyletswydd innau fel aelod o'r eglwys yw ei diarddel hi.

DAFYDD :

Mam ! Mae crefydd wedi'ch gwneud chi'n . . .

MAIR :

Dafydd. Paid . . . Gad iddi. Mi fydda i'n iawn os ca i un gymwynas cyn mynd ymlaen ar fy nhaith.

DAFYDD :

Unrhyw beth.

MAIR :

Mae Manolo'n gorwedd tu allan dan y feranda. 'Roedd Tirano'n iawn. Pan glywais i fod y milwyr yn erlid y bechgyn, mi es i'w helpu . . . Mi ddos ar draws Manolo'n gorwedd mewn pwll o waed . . . wedi ei glwyfo . . . a'i geffyl wedi mynd. Fe lwyddais i'w gael ar gefn fy ngheffyl i, a charlamu tuag yma. Dyna'r unig beth oedd yn bosibl. Wedyn mi ddois i mewn yma i daflu llwch i lygaid Tirano, rhag i'r milwyr chwilio'r lle. Mae Manolo wedi ei glwyfo, Dafydd.

DAFYDD :

Yn ddrwg?

MAIR :

Colli lot o waed . . . Mae o'n dal i waedu. (*Yn wylo*).

DAFYDD :

'Rwy'n mynd i'w nôl o. (*Yn cychwyn at y drws*).

MERI IFANS (*yn sefyll rhyngddo â'r drws*) :

Ddaw o ddim i mewn i'r tŷ yma.

DAFYDD :

Ewch o'r ffordd. (*Yn ei gwthio o'r neilltu*).

MERI IFANS :

Dafydd! Wyt ti'n meiddio anufuddhau imi yn fy nhŷ fy hun?

DAFYDD :

Ydw, Mam. (*Yn edrych ym myw ei llygaid yn ddig*). Dos dithau i'r cefn i gael dŵr poeth a chadachau, Mair. (*Â allan*).

MERI IFANS (*wrth Mair*) :

Aros lle'r wyt ti. (*Mae Mair yn llwyddo i fynd o'i gafael, ac allan trwy'r drws i'r chwith*).

DAFYDD (*daw yn ôl, â braich Manolo dros ei ysgwydd*) :

Dyna ti, eistedd yn y gadair 'na. (*Wrth eu gweld â Meri Ifans i'r siambr ar y dde. Daw Mair i mewn gyda dysgl a chadachau, ac Alonso yn ei dilyn. Y mae Dafydd erbyn hyn wedi helpu Manolo i dynnu ei gôt wleb, ac wedi rhwygo llawes ei grys. Mae'r tri yn trin y briw mewn distawrwydd, ag eithrio ambell ochenaid gan Manolo*).

ALONSO (*wedi iddo godi'r fraich friwedig*) :

'Does dim asgwrn wedi torri, beth bynnag. Ac mae'r briw yn lân. Aeth y fwled yn glir trwy d'ysgwydd.

MANOLO :

Methu atal y gwaed oedd y trwbwl. Mi fuaswn i wedi gwaedu i farwolaeth onibai i Mair fentro'i bywyd i chwilio amdana i. Allwn i wneud dim fy hunan, ond fe'i plygiodd hi o.

69

ALONSO :

Chwarae teg iddi hi. Fe wnaeth job dda dan yr amgylchiadau.

MANOLO :

Fedrwn i ddim mynd ymhellach heb gael ei drin. Mae'n ddrwg gen i orfod eich poeni eto, Dafydd, ond 'doedd dim dewis.

DAFYDD :

Fe wnest yn iawn. Rhaid iti aros yma heno.

MANOLO :

Na, 'rwy'n mynd dros y mynyddoedd i Chili. Os caiff Mair aros yma am dipyn . . .

MAIR :

'Rwy'n dod hefo ti. Mi fyddwn yn iawn unwaith y croeswn ni'r ffin.

ALONSO :

Ond ellwch chi byth fynd drosodd ynghanol gaeaf fel hyn : mae'r mynyddoedd i gyd dan eira.

MANOLO :

'Does dim dewis arall.

MAIR :

Nag oes. Ac mae'n haws wynebu cynddaredd y gaeaf, na delio â dialedd dynion.

ALONSO :

'Rwy'n dod hefo chi.

MANOLO :

Diolch iti am gynnig, Alonso. Ond os doi di, mi fyddi dithau'n mentro dy fywyd.

ALONSO :

Efallai. Ond pa wahaniaeth? Mi ga i un anturiaeth arall cyn i angau fy nal. Ac mae'n well gen innau wynebu'r hen fynyddoedd 'na . . . mi fydd hynny'n well na dioddef nychtod henaint. Yr unig obaith ichi gyrraedd yn fyw ydi trwy adael i mi eich arwain.

DAFYDD :

'Rwyt ti'n iawn, Alonso. 'Rwyt ti'n nabod yr hen fynyddoedd 'na'n well na neb sy'n fyw . . .

ALONSO :

Ydw. Ac mae gen i gynllun. Mynd oddi yma dros y gadwyn

gyntaf o'r mynyddoedd. Tydi rheini ddim mor uchel â'r gadwyn bellaf, ac mae'r bylchau'n weddol glir o eira hyd yn hyn. Yna aros yno rhwng y ddwy res o fynyddoedd . . .

MAIR :

Dros y gaeaf? Ond mi fyddwn wedyn wedi'n cau i mewn.

ALONSO :

Byddwn siwr, ac yn ddiogel. Mi wn i am ddyffryn bach yno, ac afon Caran yn llifo drwyddo. Mae digon o bysgod ynddi hi. Mae yno hefyd geirw a gwartheg gwyllt. Fyddwn ni ddim yn brin o fwyd.

MANOLO :

Ond beth am Mair?

ALONSO :

Dim ond mynd â bwyell, a gallwn dorri coed a chodi caban. A chyda chrwyn yr anifeiliaid a ddaliwn ni, mi fydd gynnon-ni welyau cynnes a digon o fentyll i'w gwisgo.

MANOLO :

Ond beth am Mair?

MAIR :

Mi fydd popeth yn iawn, Manolo. 'Rwy wedi dysgu ffordd yr Indiaid gyda phethau fel yna. Mi fydda i'n iawn.

DAFYDD :

Wyt ti'n siwr?

MAIR :

Nid hwn fydd y tro cyntaf i ferched yr Andes 'ma wynebu amgylchiadau tebyg.

DAFYDD :

O'r gorau. Ydi, mae o'n gynllun da.

ALONSO :

A phan ddaw'r gwanwyn i doddi'r eira, gallwn fynd dros y mynyddoedd pellaf. Dim ond imi gael bwyell, dau neu dri gwn, a digon o fwledi, mi fyddwn yn iawn.

DAFYDD :

Rho'r cwbl ar geffyl pwn. Dos i gyfrwyo'r ceffylau.

ALONSO :

Nid hwn fydd y tro cyntaf imi fwrw'r gaeaf fel yna. Mae'n wir 'mod i dipyn yn hŷn yn awr, ond mi fydd hyn cystal â chael ail-ddechrau byw imi. (*Â allan i'r chwith*).

DAFYDD :

Dyna ti, Manolo. Rho dy fraich drwy ddolen y crafat yma
. . . Y gôt yma dros dy ysgwydd . . . A'r poncho 'ma dros y
cwbl. Ond mae'n gas gen i feddwl amanat ti, Mair, yn men-
tro hefo nhw. (*Â at y drws ar y dde, a galw*). Mam! Ddowch
chi yma am funud, Mam?

MERI IFANS (*yn dod i mewn, ac yn edrych yn ddig ar Manolo*) :

Ac mi 'rwyt ti yma o hyd?

MANOLO :

Ydw, a chyn imi fynd mae'n rhaid imi dorri newydd arall ichi
. . . am Idris.

MERI IFANS :

Idris?

MANOLO :

Ie. Newydd drwg.

MERI IFANS :

Mae o wedi cael ei ddal. Rhagor o warth. Treial a charchar.

MANOLO :

Fydd dim byd fel yna yn hanes Idris eto.

MAIR :

Oh! Mae o wedi ei . . .

MANOLO :

Ydi, Mair.

MERI IFANS :

Wedi ei ladd? Wedi ei . . . Idris wedi marw. (*Eistedd ar
gadair, a golwg syn arni. Yna daw gwên i'w hwyneb*). Ddaw o
ddim i ragor o drwbwl. Ac mi fydd y Gwyndy 'ma'n ddiogel
o hyn ymlaen. (*Yn wylo*). 'Roeddwn i'n dal i obeithio . . . Mae
angau mor derfynol. Idris wedi marw.

DAFYDD (*yn tosturio wrthi*) :

Mi fydda i yma o hyd, Mam.

MERI IFANS :

Wyt, 'rwyt ti yma o hyd. Tydw i ddim wedi methu'n llwyr.

DAFYDD :

Gwrandwch, Mam. 'Rwy'n crefu arnoch chi. Gadewch i Mair
aros yma dros y gaeaf.

MERI IFANS :

A phawb yn dod i wybod am ei chyflwr?

DAFYDD:

Pa wahaniaeth am hynny? Tydi hi ddim yn ddiogel iddi hi fentro dros y mynyddoedd 'na, a hithau'n feichiog. Mae ei bywyd yn bwysicach na mân siarad pobl amdani hi.

MANOLO:

Mi fuaswn innau'n teimlo'n hapusach lawer pe cai hi aros.

MERI IFANS:

Ti yn hapusach? Pa hawl sydd gen ti i fod yn hapus? Pam y dylwn i aberthu hynny o barch sydd ar ôl imi er mwyn ei gwneud yn haws i wylliad ffoi?

MANOLO:

Nid er fy mwyn i, ond er mwyn Mair.

DAFYDD:

Mae'n siwr fod gynnoch chi rywfaint o gariad tuag ati hi?

MERI IFANS:

Na. 'Rwy'n ei chasáu.

DAFYDD:

Ond 'roeddech chi'n barod i faddau i Idris. Ac yn dal i obeithio amdano fo, meddech chi, er gwaethaf yr hyn a wnaeth o.

MERI IFANS:

Oeddwn. 'Roeddwn i'n gobeithio y buasai pobl yn gallu maddau iddo fo. Bachgen gwirion a gwyllt, wedi cael ei ddenu i gwmni drwg, ac yna'n troi dalen newydd. Ond amdani hi, mae pethau'n wahanol. Mae hi wedi mynd yn rhy bell i allu troi'n ôl.

DAFYDD:

O'r gorau ynteu. Os nad yw Mair yn aros yma, wna innau ddim chwaith.

MERI IFANS:

Dafydd! (*Â tuag ato, ac yna try yn ôl wrth weld y fflam yn ei lygaid*).

DAFYDD:

Fe'ch arweinia i chi at lwyth Sagmata. Mae nhw'n cuddio yn y mynyddoedd.

MANOLO:

Ond sut y gallwn ni fynd yno?

73

DAFYDD :

Fe wn am y ffordd ddirgel sy'n arwain tuag yno : mi ges i
wybod amdani gan Pepita. Mi gewch aros yno nes i'r helfa 'ma
fynd heibio, ac yna mynd ymlaen yr haf nesaf dros y mynydd-
oedd i Chili, a dechrau bywyd newydd yno.

MANOLO :

Ac fe ddoi dithau yn ôl yma ?

DAFYDD :

Na, ddo i byth yn ôl.

MERI IFANS :

Mi fyddi'n byw hefo Indiaid . . . anwariaid di-foes . . .

DAFYDD :

O leiaf, mae nhw'n byw'n naturiol.

MERI IFANS :

Mi wnes i 'ngorau i wareiddio'r Pepita honno, ond 'roedd hi'n
dal mor aflan a thwyllodrus ag erioed, ac yn . . .

DAFYDD :

Dyna ddigon, Mam.

MERI IFANS :

Dafydd ! Ti o bawb yn . . .

DAFYDD :

Ie, fi o. bawb . . . Clywch, mynd i chwilio am Pepita 'rydw i
. . . mynd i fyw hefo hi.

MERI IFANS :

Oh ! Na. Na. 'Rwyt ti'n drysu . . . Dafydd, 'ngwas i . . .
Wnei di mo hynny.

DAFYDD :

Gwnaf. Ac mi fydd yn fam dda i 'mhlant i.

MERI IFANS (*yn wylo'i henaid*) :

Duw a'm helpo i. Pam y gadewais i Gymru . . .?

DAFYDD :

Mi fedrwn ninnau ofyn pam hefyd ynglŷn â llawer peth, ond
i ba ddiben. 'Rwyf innau'n dewis fy llwybr o'r diwedd, fel y
gwnaethoch chitha. Gan mai fi sy'n dewis, arna i y bydd y
cyfrifoldeb a'r canlyniadau. 'Rwy'n barod i wynebu'r can-
lyniadau, beth bynnag fyddan nhw. Ac amdanoch chi : fydd
hi ddim yn ddrwg arnoch-chi. Mi fyddwch uwchlaw angen.
Mi fydd y fferm yma'n eiddo ichi, a'r tŷ a'r dodrefn. Ag hefo

chi y bydd y cydymdeimlad.

MERI IFANS :

Wyt ti'n meddwl y galla i aros yma ar ôl i chi dynnu'r fath warth ar y lle? Aros yn y tŷ gwag yma, a phopeth yn edliw fy methiant imi? Na, mi wertha i'r cwbl a mynd yn ôl i Gymru.

DAFYDD :

Ie, ewch yn ôl, Mam. Efallai y byddwch chi'n hapus yno.

MERI IFANS (*yn eistedd yn ôl, a'r olwg bell yn dychwelyd i'w hwyneb*) :

Hapus? Mi fydda i'n cofio o hyd imi gael fy nghoncro : fy nghoncro gan y wlad felltigedig 'ma.

MANOLO :

Mae'n biti drosti.

MERI IFANS :

Pam y dois i yma erioed? Be sy wedi digwydd imi?

DAFYDD :

Mae'r wlad 'ma wedi'ch concro chitha : ond mewn ffordd wahanol i ni. Mae hi wedi'ch gwneud chi'n galed, ac yn ddall i bopeth sy'n dda ynddi.

MERI IFANS :

Ond y delfrydau oedd gen i . . . mae'r rheini yn bwysig, yn tydyn nhw?

DAFYDD :

Ydyn, ond ddim yn werth aberthu serch eich plant er eu mwyn.

MERI IFANS :

Gwrando, Dafydd, rho gyfle arall imi.

DAFYDD :

Na. Y ffaith syml ydi na allwn ni byth gael hapusrwydd yma eto. Ni ellwch chi roi hapusrwydd i ni, na ninnau i chita. 'Does dim dewis bellach ond i bawb fynd i'w ffordd ei hun.

MERI IFANS :

O Dduw ! Beth wnes i o'i le? Dafydd, dwed fod gen ti rywfaint o gariad tuag ata i.

DAFYDD :

'Rydych chi'n fam imi. Ond mae'n rhaid imi fynd at Pepita.

MANOLO (*yn clywed sŵn ceffylau oddi allan. Mae'n syllu trwy ffenestr*) :

75

Mae'r ceffylau'n barod.

DAFYDD :

Tyrd, Mair. (*Gesyd ei fraich amdani, a'i harwain allan*).
MANOLO (*oeda wrth y drws i syllu'n dosturiol ar y fam, cyn mynd drwyddo a'i gau ar ei ôl*).

MERI IFANS (*yn eistedd yn syn wrth y bwrdd. Pan glyw sŵn y ceffylau'n cilio, cyfyd i edrych trwy'r ffenestr. Daw yn ôl at y bwrdd a gafael yn y llythyr sydd yno o hyd. Mae'n edrych drosto, yn petruso, yna yn ei dorri'n ddarnau, a lluchio'r rheini i'r lle tân. Dychwel at y bwrdd a chodi'r lamp olew a'i chario i gyfeiriad y siambr, gan adael y gegin yn wag a thywyll*).

DISGYN Y LLEN

RHESTR O'R GEIRIAU SBAENEG, YNA EU HYSTYR, AC WEDYN YNGANIAD Y GEIRIAU YN ÔL SAIN YR WYDDOR GYMRAEG

Y GÂN WERIN

Yo quero ser libre,
   Vidalita,
Como las montanas :
Libre como el rio,
   Vidalita,
Entre sus orillas.

     O ! na chawn i ryddid,
        Vidalita,
     Fel yr hen fynyddoedd :
     Rhyddid fel yr afon,
        Vidalita,
     Ar ei ffordd drwy'r cymoedd.

          Io ceroser lifre,
            Fiddali-ta,
          Como las montanias :
          Lifre como-el rio,
            Fiddali-ta,
          Entre sws orilias.

romantico
   rhamantus
      (Acen ar yr ail sill)

Mama mia. Estupendo !
   Mam annwyl. Campus !
      Mama mia. Estwpendo.

chicas
   genethod
      (Yr ch fel y sain Saesneg yn "cheer").

canciones de la pampa
        caneuon y paith
                cansiones dde la pampa.

Muy bien, chica.
        O'r gorau, eneth.
                Mwi fien,

Manana
        Yfory
                Maniana.

Estupido
        Gwirion
                Estwpido.

Ola ! Maria ! Como estas querida?
        Helo, Mair ! Sut wyt ti, 'ngariad i?
                Ola. Maria. Como estas (acen ar y sill olaf) ceridda?

Porque venistes? Esto es demasiado peligroso. No debias venir.
Ay, que podemos hacer?
        Pam y doist-ti? Mae hyn yn rhy beryglus. Ni ddylet ddod yma.
        O, be fedrwn ni ei wneud?
                Porce (acen ar y sill olaf) fenistes? Esto es ddemasiaddo
                peligroso. No defias fenir. Acen ar "i" yn y ddau air).
                Ai, ce poddemos aser? (acen ar y sill olaf).

Tesoro mio ! Mi dulce amor.
        Fy nhrysor ! Fy nghariad annwyl.
                Tesoro mio ! Mi ddwlse amor. (Acen ar y sill olaf).

Vayas, tonto . . . vayas . . .
        Dos, y ffwl, dos . . .
                Faias, tonto, faias . . .

Bueno
        O'r gorau
                Bweno.

Buenos Aires
    (Y brifddinas)
        BWENOS Aires).

Senora
    Foneddiges
        Seniora.

Adelante
    Dowch i mewn
        Addelante.

Buenas tardes, Senora
    Pnawn da, foneddiges
        Bwenas tarddes, Seniora.

Anonima
    (Enw siop)
        (Acen ar yr ail sill).

Juan Camino
    (Enw gŵr)
        Chwan Camino.

Perdoneme.
    Maddeuwch imi
        Perddoneme. (Acen ar yr ail sill a'r olaf).

coral
    ffald
        coral. (Acen ar y sill olaf).

Buenas noches
    Nos da
        Bwenas noches. (Yr "ch" fel yn y Saesneg "cheer").

Adios
    Ffarwel
        Addios. (Acen ar y sill olaf).

Pepita Ratan
    (Enw merch)
        Pepita Ratan. (Acen ar y sill olaf).

Alonso Rodrigues
    (Enw gŵr)
        Alonso Roddriges.

Ramona Gillegas
    (Enw merch)
        Ramona Giliegas

Caramba ! Que sorpresa
    Arswyd ! Dyna syndod
        Caramba ! ce sorpresa.

Que dulce beso, che.
    Dyna gusan felys, ferch
        Ce ddwlse feso, che. (Yr "ch" fel yn y Saesneg "cheer").

Un beso como miel
    Cusan fel mêl
        Wn feso como miel. (Acen ar "e").

Por favor
    Os gweli'n dda
        Por ffafor. (Acen ar y sill olaf).

Santa Cruz
    (Enw lle)
        Santa Crwth.

Afon Leufu
    (Enw Indiad)
        Afon Lewffw. (Acen ar y sill olaf).

Caran
    (Enw lle)
        Caran. (Acen ar y sill olaf).